Classici dell'Arte

77.

L'opera completa di
Piet Mondrian

L'opera completa di

Mondrian

Introdotta da scritti del pittore e coordinata da
MARIA GRAZIA OTTOLENGHI

Rizzoli Editore · Milano

Scritti di Mondrian

Piet Mondrian esordì come teorico dell'arte sul primo numero di "De Stijl" nell'ottobre del 1917, iniziandovi la pubblicazione del saggio *De nieuwe beelding in de schilderkunst* (La nuova plastica nella pittura); su "De Stijl" comparvero successivamente tutti i suoi più importanti scritti fino al 1924, l'anno del drammatico dissenso con l'irrequieto Theo van Doesburg, il quale ritenendo ormai superato il "neoplasticismo statico" di Mondrian, si dichiarò per un "elementarismo dinamico", basato sulle diagonali. "Prescindendo dalle figure", egli proclamava, "un quadro di Ingres o di Poussin è identico a un quadro di Mondrian o di van der Leck. Ciò che io chiamo nuovo, al livello morale e spirituale della nostra epoca, è esattamente il contrario. Ci interessa l'antigravitazione, l'obliquità, un diverso sentimento del colore. Apprezziamo le dissonanze, l'invenzione di uno spazio, un *continuum* pittorico nel quale si sviluppi la nostra idea plastica". Ne conseguì l'abbandono di "De Stijl" da parte di Mondrian, quasi subito seguito da Oud e Rietveld, ciò che determinò ben presto la fine del gruppo.

I saggi apparsi via via sulle prime tre annate della rivista fecero sì che Mondrian venisse considerato l'ideologo del gruppo; lo stesso van Doesburg, nel numero di "De Stijl", che celebrava il quinto anno di vita della rivista, riconosceva come fondamentale per il movimento neoplastico l'apporto non solo delle opere, ma anche degli scritti di Mondrian che in quell'occasione egli salutava come "padre del neoplasticismo".

Il saggio che si cominciò a pubblicare nel 1917 chiaramente anticipava alcuni tra i punti fondamentali del manifesto del gruppo che apparve nel novembre del 1918, come introduzione alla seconda annata della rivista: soprattutto l'aspirazione a un equilibrato rapporto tra individuale e universale, il rifiuto dell'individualismo, la convinzione che "il modo di vedere puramente plastico deve costruire una nuova società, come ha creato una nuova rappresentazione dell'arte".

In questo e nei successivi principali saggi su "De Stijl", così come nell'opuscolo *Le néo-plasticisme: principe général de l'équivalence plastique*, scritto in francese subito dopo il ritorno a Parigi dall'Olanda, presso le edizioni della galleria L'Effort Moderne diretta da Léonce Rosenberg, con l'intento di far conoscere anche in Francia il neoplasticismo

(ricorda M. Seuphor che l'editore, poiché il francese di Mondrian non era perfetto, anziché provvedere a una corretta traduzione preferì accompagnare il testo con una nota in cui si avvertiva il lettore che il linguaggio dell'artista era "un peu spécial"), e che in realtà fu ignorato dal pubblico e dalla critica, Mondrian venne via via esponendo la sua poetica.

"Ai nostri giorni", egli affermava, "bisogna cercare di esprimere nell'opera d'arte ciò che è essenziale dell'uomo e della natura, cioè ciò che è universale", in altre parole, l'opera d'arte deve essere "l'espressione della pura realtà". "Le particolarità della forma ed il colore naturale evocano stati soggettivi del sentire, che oscurano la pura realtà", perciò l'imitazione delle forme naturali non ha nulla a che fare con la vera arte, che deve cogliere il rapporto equilibrato tra individuale e universale, inconscio e cosciente, immutabile e mutevole. "Lo squilibrio tra individuale e universale crea il tragico e s'esprime in plastica tragica". Compito della nuova arte è di eliminare il tragico (il cui predominio già il cubismo aveva demolito), abbandonando ogni residuo di "descrizione" per esprimere plasticamente rapporti e non forme. "Lo spirito nuovo non può esprimersi che nella realtà vivente dell'astratto". "Nella realtà vitale dell'astratto l'uomo nuovo ha superato i sentimenti di nostalgia, di gioia, di rapimento, di dolore, d'orrore ecc.: nell'emozione costante per mezzo del bello, essi si sono purificati ed approfonditi. Egli giunge ad una visione più profonda della realtà sensibile".

"L'arte è la rappresentazione e nello stesso tempo involontariamente il mezzo dell'evoluzione della materia, e riesce a bilanciare natura e non natura in noi ed intorno a noi. L'arte rimane rappresentazione e mezzo, finché quest'equilibrio sia relativamente raggiunto. Allora esso ha raggiunto il proprio scopo e l'armonia si realizza intorno a noi, quanto a vita esteriore. Allora è terminato il predominio del tragico nella vita."

Nella nuova pittura il piano diviene il solo mezzo plastico: "Esso sopprime il predominio della materia, la cui espressione assoluta ha tre dimensioni. Tuttavia, sebbene nella nuova pittura la terza dimensione visiva si perda, essa s'esprime mediante i valori ed il colore nel piano". La composizione deve essere fondata sull'equilibrio dei rapporti puri: nonostante questi rapporti si basino in natura e nel nostro spirito secondo le stesse leggi universali, "attualmente" afferma Mondrian, "l'opera d'arte si manifesta altrimenti che in natura".

Il colore è primario, la linea è sempre retta e sempre "nelle sue opposizioni principali" che formano l'angolo retto, espressione plastica di quello che è costante; in tal modo, pur non essendo visivamente somigliante, la nuova plastica è l'equivalente della natura.

Che sul pensiero di Mondrian abbia fortemente influito, soprattutto attraverso il contatto con Schoenmaekers, la cultura teosofica, e di conseguenza, mediati da essa, siano confluiti nella sua teorica elementi dell'idealismo tedesco, delle filosofie e del misticismo orientali e del neoplatonismo, che nella sua dichiarata aspirazione al superamento, attraverso l'arte, della tragica realtà quotidiana sia evidente il richiamo a Schopenhauer (l'unico filosofo del resto che egli citi, nella scena III del dialogo *Natuurlijke en abstracte realiteit* [Realtà naturale e realtà astratta]), che vi si sentano echi di Fiedler, è indubbio ed è già stato ampiamente chiarito. Così come è stata sottolineata l'influenza delle opere e degli scritti di Mondrian sull'architettura e l'urbanistica. Soprattutto di uno tra i più significativi saggi del periodo successivo all'abbandono del gruppo di "De Stijl" (quando ormai le pagine più importanti erano state scritte e Mondrian si soffermava a precisare, spesso a rievocare), *Neoplasticismo: de woning – de straat – de stad*, sono stati indicati gli aspetti ancora attuali nel campo del *design* urbano, al di là del sogno utopistico di un Eden creato dall'uomo in cui l'uomo, perduta la vanità della sua piccola e meschina individualità, sarà felice.

Tra gli scritti successivi al 1924 sono ancora da citare *De l'art abstrait* (risposte di Mondrian a quesiti sui limiti dell'arte astratta posti a lui, oltre che a Léger, Willi Baumeister, Kandinsky, Alex Dörner ed Hans Arp, dai "Cahiers d'art" nel 1931), *Plastic art and pure plastic art*, pubblicato a Londra nel 1937 e *Towards the true vision of reality*, un breve testo autobiografico pubblicato a New York per le edizioni della Valentine Gallery nel 1942, che tuttavia poco o nulla di nuovo aggiungono alla formulazione teorica del periodo tra il 1917 e il '24. (I brani presentati qui di seguito, a esclusione del 'manifesto', sono desunti dall'antologia di scritti dell'artista tradotti da O. Morisani e pubblicati in appendice all'*Astrattismo di Piet Mondrian*, 1956).

Primo manifesto di "De Stijl"

Vi sono due conoscenze del tempo, una antica e una nuova. L'antica si volge all'individualismo, la nuova all'universale. Il contrasto tra individuale e universale si manifesta nella guerra mondiale come nell'arte del nostro tempo.

La guerra distrugge il mondo antico, con il suo contenuto: il predominio individuale in ogni campo.

La nuova arte ha rivelato il contenuto della nuova coscienza del tempo: un rapporto simmetrico tra universale e individuale.

La nuova coscienza del tempo è pronta ad attuarsi in tutto, anche nella vita esteriore.

Tradizione, dogmi e predominio dell'individuale sono d'ostacolo a questa realizzazione.

Per questo i fondatori della nuova cultura chiamano tutti coloro che credono alla riforma dell'arte e della cultura a distruggere questi ostacoli che si oppongono allo sviluppo, allo stesso modo in cui nell'arte figurativa – abolendo la forma naturale – hanno eliminato quello che ostacola la pura espressione artistica, la coerenza esteriore di ogni concetto artistico.

Spinti da una medesima coscienza, gli artisti d'oggi in tutto il mondo hanno preso parte, sul piano spirituale, alla guerra mondiale contro il predominio dell'individualismo, dell'arbitrio. Essi simpatizzano quindi con tutti quelli che sul piano spirituale o su quello materiale si battono per la formazione di un'unità internazionale nella vita, nell'arte, nella cultura.

L'organo "De Stijl", fondato a questo scopo, aspira a contribuire a porre in chiara luce la nuova concezione della vita. La collaborazione di tutti è possibile attraverso: l'invio (alla redazione) di nomi con indirizzo e professione (esatti), in segno di adesione. Contributi nel senso più ampio (critici, filosofici, architettonici, scientifici, letterari, musicali, ecc., come anche di riproduzione) per la rivista mensile "De Stijl". Traduzione in altre lingue e diffusione delle idee che vengono pubblicizzate su "De Stijl".

Firmato da: Th. van Doesburg, R. van 't Hoff, V. Huszar, A. Kok, P. Mondrian, G. Vantongerloo, J. Wils.

in "De Stijl", II, 1918

La nuova plastica nella pittura

Nella pittura astratta reale, colore primario vuole significare che il colore funziona da colore di fondo. Il colore primitivo appare così in modo molto relativo ed importa soprattutto che esso sia liberato dall'individuale e dalle sensazioni individuali e che esprima soltanto l'emozione muta dell'universale. Nella pittura astratta reale, i colori primari sono una rappresentazione del colore primario in modo tale che essi esprimono maggiormente il naturale, pur rimanendo reali.

[...] L'estensione – che è esteriorizzazione di un'attiva forza primigenia – darà vita per sviluppo, adesione, costruzione, ecc. alla materia ed alla forma. La forma nasce quando si limita l'estensione. Se l'estensione è la cosa fondamentale (perché è da essa che si determina ogni effetto), deve essere tale anche nella rappresentazione. Questo elemento fondamentale, se coscientemente riconosciuto per tale, deve esser rappresentato in modo netto e chiaro. Se l'ora è giunta, la limitazione dell'individuale deve essere annullata nella rappresentazione dell'estensione, perché soltanto in tal modo l'estensione sarà profilata in tutta la sua purezza. Se, nella rappresentazione della forma, la limitazione di questa è realizzata mediante una linea chiusa (contorno), questa deve esser rigida fino ad essere retta. Allora l'aspetto esteriore (l'apparenza della forma) sarà in equilibrio con la rappresentazione esatta dell'estensione, che potrà anche raffigurarsi come linee rette [...]. Così, per estensione e limitazione (i due estremi) si ottiene l'equilibrio di posizione: il rettangolo. Così l'estensione si realizza senza limitazione individuale, mediante la differenza dei colori delle superfici, come mediante le proporzioni rettangolari delle linee e delle superfici di colore. Il colore non è negato dal rettangolo, ma soltanto limitato. Infine, nella superficie rettangolare, il colore è perfettamente determinato in terza istanza.

[...] La pittura astratta realistica è ancora utile per giungere alla non-rappresentazione, cioè all'ultimo stadio dell'arte quale la conosciamo attualmente: rappresentazione della vita ma non ancora la vita stessa. Quando si convertirà in vita autentica, finirà l'arte quale la concepiamo oggi. Tuttavia, occorrerà ancora molto perché la nuova rappresentazione sia assorbita nella sua totalità dagli umani: quest'arte comprende la forma finale dell'arte nelle sue limitazioni, ma è già un inizio.

[...] Il combinarsi dell'universale (in quanto può essere sviluppato in un individuo) con l'individuale (per quanto può essere maturo nell'individuo stesso) genera il tragico, la lotta tra entrambe le forme, la tragedia della vita. Nasce dall'ineguaglianza nell'apparenza della dualità, nella quale l'unità si rivela — nel tempo e nello spazio. Il tragico esiste nella vita intima come in quella esteriore [...]. La plastica nuova è — prima del suo tempo — l'espressione plastica della stasi nello sviluppo umano nel momento di equivalenza dell'uno e dell'altro. Appena sarà giunto questo momento, l'arte passerà nella vita reale.

[...] Se la soppressione del tragico è lo scopo della vita, è illogico opporsi alla nuova plastica. Ed è anche illogico puntare sempre sulla rappresentazione della forma in pittura e per di più su quella naturale, perché, si dice, lo spirito non può manifestarsi che in tal modo.

Se esaminiamo la continua evoluzione della rappresentazione proporzionale in pittura, è difficile supporre il contrario, che cioè quello che si è evoluto in pittura possa tornare alla plastica della forma, che vela la plastica proporzionale.

[...] L'autentico artista vede la metropoli come vita astratta figurata: la sente più vicina della natura e ne avrà, più che da quest'ultima, un'emozione estetica. Perché il naturale è, nella metropoli, sempre teso e regolato dallo spirito umano. Le proporzioni ed il ritmo di superficie lineare nell'architettura gli parleranno in modo più diretto che non il capriccioso che è in natura. Nella metropoli il bello si esprime in modo più matematico: perciò essa è il luogo nel quale può svilupparsi il temperamento artistico matematico dell'avvenire: il luogo di nascita del nuovo stile.

[...] Il modo di vedere puramente plastico deve costruire una nuova società, comè ha creato una nuova rappresentazione nell'arte: una società che ponga in equilibrio due elementi equivalenti: materiale e spirituale: una società di equilibri ben proporzionati.

De nieuwe beelding in de schilderkunst, in "De Stijl", I, 1917-18

Realtà naturale e realtà astratta

[...] Forse sarebbe meglio risolvere il problema smettendo di eseguire dipinti isolati. Se coloro che vi si sentono inclinati facessero decorare le loro case nello stile della nuova plastica, i singoli dipinti di tal nuova plastica verrebbero pian piano a scomparire. *Intorno* a noi la nuova plastica vive in modo ancora più reale. In quanto all'esecuzione, le difficoltà sono le stesse nel dipingere un quadro e nel progettare un ambiente.

[...] Verrà un giorno in cui potremo fare a meno di tutte le forme d'arte che conosciamo oggi: soltanto allora l'architettura sarà giunta a maturità, in un reale concreto. L'umanità non verrà a perdersi. L'architettura sarà quella che dovrà meno modificarsi, proprio perché differisce tanto dalla pittura. Nell'architettura, l'opera è già fatta da non artisti, ed il materiale *sistemato*. Non potrà questo realizzarsi anche in pittura? L'arte nuova esige una tecnica nuova. La plastica esatta esige mezzi esatti. Che cosa v'è di più esatto del materiale fabbricato a macchina? L'arte nuova ha necessità di abili tecnici. Il tempo nuovo è già in cerca: già esistono il cemento colorato, le piastrelle di colore, ma nulla ancora che possa essere utile alla nuova plastica. Fino a quel momento la nuova plastica del colore dovrà essere eseguita in architettura da operai, a mezzo della pittura [...].

Ecco giustamente una ragione per cui la nuova plastica potrà apparire come *stile*. Nei grandi periodi di stile, l'individuo scompariva e l'idea del tempo era la forza che esprimeva l'arte. Accade ora l'istesso. L'opera s'esprime sempre più da se stessa: la personalità si sposta; ogni opera d'arte si fa personalità in luogo dell'artista. Ogni opera d'arte diventa un'altra espressione dell'unicità.

Natuurlijke en abstracte realiteit, in "De Stijl", II, 1919

Il neoplasticismo: principio generale dell'equivalenza plastica

[...] Finora nessuna arte è stata puramente plastica perché predominava il cosciente individuale: tutte erano più o meno descrittive, indirette, approssimative.

L'individuale, dominando in noi e fuori di noi, *descrive*. Anche l'universale in noi, ma soltanto se non è tanto cosciente nella nostra coscienza (individuale) da pervenire all'apparenza pura.

Mentre l'universale in noi diviene sempre più cosciente e l'indeterminato cresce verso il determinato, le cose fuori di noi conservano la loro forma indeterminata. Donde la necessità, a misura che l'inconscio (l'universale in noi) s'avvicina al cosciente, di trasformare continuamente, di determinare meglio l'apparenza capricciosa ed indeterminata del fenomeno naturale.

Così, lo spirito nuovo distrugge la forma delimitata nell'espressione estetica, e ricostruisce un'apparenza equivalente del soggettivo e dell'oggettivo, del contenuto e del contenente: una dualità equilibrata dell'universale e dell'individuale e con questa *dualità nella pluralità* crea il rapporto puramente estetico.

[...] L'apparenza plastica naturale si presenta come corporeità. Essa si esprime, plasticamente, come una sfericità che vorrebbe essere piana oppure come un piano che sarebbe costretto ad essere sferico: come una curva tendente alla retta o una retta che si vorrebbe curva. Questa espressione plastica non è dunque equilibrata.

Si cercava di ottenere l'equilibrio con la composizione, ma mediante una composizione velata nella rappresentazione e nel soggetto. Così, perché si adoperavano dei mezzi plastici impuri, la scultura e la pittura pervenivano alla descrizione.

Del pari, il mezzo plastico dell'arte della parola è divenuto impuro (forma) e percorre, per conseguenza, lo stesso cammino delle arti cosiddette plastiche. Anche lì si tentava di esprimere il contenuto di ogni cosa mediante la parafrasi e non mediante la parola istessa. La parola — raggruppata in frasi — s'indeboliva come pluralità omogenea. Ci si esprimeva con l'aiuto del simbolo. Pur tuttavia esistono parole, parecchie parole anzi, le quali, per forza propria e per rapporti scambievoli, possono esprimere i due principi dell'essere. In tutte le arti l'oggettivo s'opponeva al soggettivo, l'universale all'individuale: l'espressione plastica pura all'espressione descrittiva. Così l'arte tendeva alla plastica equilibrata. Lo squilibrio fra individuale ed universale crea il tragico e s'esprime in plastica tragica. In tutto ciò che è, sia forma, sia corporeità, il naturale predomina: questa crea il tragico.

Il tragico della vita conduce alla creazione artistica: l'arte, in quanto astratta ed in opposizione col concreto naturale, può precedere lo sparire graduale del tragico. Più cresce il tragico e più l'arte si fa pura.

Lo spirito nuovo non può manifestarsi se non in seno al tragico. Non trova che una forma invecchiata, dovendosi ancora creare la plastica nuova. Nato nell'ambiente del passato, non può esprimersi che nella realtà vivente dell'astratto.

In quanto parte del tutto lo spirito nuovo non può liberarsi totalmente dal tragico. La plastica nuova, l'espressione della realtà vitale dell'astratto, non s'è completamente liberata dal tragico, ma non ne è più dominata. Per contro, nell'antica plastica, predomina il tragico: essa non può fare a meno del tragico e della plastica tragica.

Tanto che predomina l'individuale, la plastica tragica è necessaria, perché in questo caso è da essa che nasce l'emozione. Ma appena si giunge ad un periodo di maggiore maturità la plastica tragica si fa insopportabile.

Nella realtà vitale dell'astratto l'uomo nuovo ha superato i sentimenti di nostalgia, di gioia, di rapimento, di dolore, d'orrore, ecc.: nell'emozione *costante* per mezzo del bello essi si sono purificati ed approfonditi. Egli giunge ad una visione molto più profonda della realtà sensibile.

Le cose sono belle o brutte soltanto nel tempo e nello spazio. Essendosi la visione dell'uomo moderno liberata da questi due fattori, tutto si unifica nell'unica bellezza. L'arte ha sem-

pre perseguito questa visione, ma essendo la forma plastica e seguendo l'apparenza naturale, non poteva realizzarla in purezza e restava plastica tragica pur con l'intenzione di essere il contrario.

[...] In pittura il neo-impressionismo, il divisionismo, il pointillisme cercarono di abolire la corporeità che dominava la plastica, sopprimendo il modellato e la tradizionale visione prospettica. Ma troviamo questo, divenuto sistema, soltanto nel cubismo. In esso la plastica tragica perde in gran parte la sua potenza dominatrice e, per l'opposizione del colore puro, l'astrazione dalla forma naturale.

Parimenti nelle altre arti, il cubismo, come il futurismo e poi il dadaismo, purificarono e demolirono il predominio del tragico nella plastica.

Ma la pittura astratta reale o neoplasticismo se ne svincolò essendo una plastica interamente nuova. Nell'istesso tempo, superò l'apprezzamento e la concezione antica che esigono una plastica tragica.

In generale, non ci si rende conto che lo squilibrio è una maledizione per l'umanità e si continua a coltivare ardentemente il sentimento del tragico. Finora ogni cosa è dominata da quanto vi è di più esteriore. Il femmineo e il materiale reggono la vita e la società ed ostacolano l'espressione spirituale in *funzione* maschile. In un manifesto dei futuristi la proclamazione dell'odio per la donna (il femmineo) è giustissima. È la donna nell'uomo che è causa diretta del predominio del tragico nell'arte.

Le néo-plasticisme: principe général de l'équivalence plastique, 1920

La realizzazione della nuova rappresentazione nel lontano futuro e nell'architettura d'oggi

Noi vediamo generalmente l'*architettura* farsi *costruzione*: l'industria artistica verrà successivamente a perdersi nella produzione meccanica. La scultura si fa *ornamento* o si perde in oggetti usuali o di lusso. L'*arte drammatica* viene messa da parte dal cinema o dal music-hall, il music-hall dalla musica da ballo, il grammofono, ecc., la pittura dal cinema, la fotografia, la riproduzione, ecc. La *letteratura* era già sottoposta, per sua natura, alla pratica utilità (scienza, giornalismo, ecc.) e lo diviene ognora di più. In quanto *poesia* si fa ogni giorno più ridicola. E con tutto ciò le arti continuano e cercano di rinnovarsi. Ma è la via che conduce al rinnovamento che segna il loro destino. L'evoluzione consiste nella rottura con la tradizione. L'*arte* (in senso tradizionale) si perde sempre più: s'è già perduta nella pittura (come neoplasticismo).

[...] La vita attira sempre più l'attenzione, ma resta materialmente dominante. L'arte si fa sempre più *volgarizzazione*. L'opera d'arte viene considerata un valore materiale: e perciò si fa sempre più bassa o accondiscendente al commercio. La società si oppone sempre più alla vita intellettuale ed emotiva, o la pone a suo servizio: così s'oppone anche all'arte. Eppure lo stato fisico predominante non può vedere nel cammino della vita e dell'arte altro che degenerazione. Perché la vita emotiva è ora la sua espansione, intelligenza e forza, l'opera d'arte la sua espressione ideale. L'ambiente come la vita sembrano inferiori nel loro stato imperfetto e nella loro arida necessità. In tal modo l'arte diviene un rifugio. Si cerca in essa la bellezza, l'armonia – che non s'inseguono o si cercano invano nella vita e nell'ambiente –. Così bellezza ed armonia sono divenuti l'*ideale* irrealizzabile: in quanto *arte*, sono state estromesse dalla vita e dall'ambiente. L'*io* poteva così indulgere liberamente al gioco della fantasia o oziare nell'introspezione, nell'intimo godimento dell'autoriproduzione, nel creare una bellezza a propria immagine e somiglianza. Così ci si distolse dalla vera vita e dalla vera bellezza, e tutto ciò era inevitabile. È così che l'arte e la vita hanno cercato di liberarsi da sé. Il tempo è evoluzione, malgrado l'*io* lo ponga come *ideale* irrealizzabile.

La massa proclama oggi la decadenza dell'arte, malgrado che sia proprio essa a distruggerla. L'essere essenzialmente fisico si serve di tutta la sua essenza o almeno cerca di farlo: si ribella contro l'inevitabile sviluppo in atto, sebbene spesso sia esso a determinarlo. Malgrado ciò l'arte può considerare (come la realtà intorno a noi) questo evento come l'avvicinarsi di una nuova vita, della liberazione finale dell'uomo. Poiché quando l'arte nasce dalla fioritura dell'essere essenzialmente fisico (dal *sentimento*), essa è in fondo soltanto una rappresentazione armoniosa. Prodotta dal tragico nella vita – sorta per ragione del predominio del fisico (naturale) in noi ed intorno a noi –, l'arte interpreta soltanto la cognizione ancora incompleta del nostro essere più intimo. Essa tenta, poiché esiste al mondo, di colmare l'abisso, forse incolmabile, tra se stessa e la materia – come natura –, di commutare disarmonia in armonia. La *libertà* dell'arte permette di realizzare l'armonia, sebbene l'essere essenzialmente fisico non la concepisca o almeno non la consideri perfettamente tale. L'evoluzione artistica conduce veramente al raggiungimento in una pura rappresentazione armonica; soltanto interiormente l'arte si fa contemporaneamente un'espressione ridotta del sentimento individuale. Così l'arte è la rappresentazione e nello stesso tempo involontariamente il mezzo dell'evoluzione della materia, e riesce a bilanciare natura e non natura in noi ed intorno a noi. L'arte rimane rappresentazione e mezzo, finché quest'equilibrio sia relativamente raggiunto. Allora essa ha raggiunto il proprio scopo e l'armonia si realizza intorno a noi, quanto a vita esteriore. Allora è terminato il predominio del tragico nella vita.

L'artista diviene ora uomo completo. Il *non artista* gli somiglia, è quanto lui pieno di bellezza. L'inclinazione naturale spingerà l'uno all'attività nel campo estetico, l'altro alle scienze, occuperà il terzo in qualche altra cosa – come un *campo specifico*, e che poi è parte equivalente dell'insieme. L'arte del costruire, la scultura, la pittura, così come l'artigianato sono diventate poi architettura, ciò che vuol dire che fanno parte del nostro ambiente. Le arti meno *materiali* si realizzano nella *vita*. La musica come *arte* è finita, la bellezza del suono e del rumore intorno a noi – purificata, regolata e portata a nuova armonia – dovrà accontentarci. La letteratura come *arte* non ha più diritto di esistere; essa diventa utilità e bellezza senza un di più (senza rivestimento lirico). Il teatro, il ballo, ecc., scompariranno col tragico dominante e la rappresentazione armoniosa: la vista stessa sarà armoniosa.

De realiseering van het neo-plasticisme in verre toekomst en in de huidige architectuur, in "De Stijl", V, 1922

L'espressione plastica nuova nella pittura

Mentre, poco prima della guerra, a Parigi il cubismo era al suo apogeo, in Olanda alcuni artisti si sentivano spinti verso una pittura *più appropriata alle superfici piane* del quadro e del muro; una pittura *piana nel piano*. Tuttavia questa pittura rimaneva ancora naturalistica. *Stilizzava* l'apparenza naturale, ma questa stilizzazione non conteneva l'*astrazione* di questa apparenza. Nondimeno divenne presto una pittura molto meno *pittorica* e più *architettonica* e *costruttiva*. Appare il colore puro, forse perché alcuni artisti si occupavano anche degli interni, non nel senso della decorazione, ma in modo più o meno costruttivo, mediante piani di puro colore (van der Leck, Huszar, van Doesburg). Questa preoccupazione degli interni dette forse origine alla cromoplastica neoplasticistica in architettura. È anche possibile che questo risollevarsi del *piano* abbia spinto gli artisti verso l'astrazione dall'apparenza naturale, ma, per quanto concerne questo sforzo, bisogna rilevare anche altre influenze. Per prima l'influenza del cubismo è innegabile. Poi, durante la guerra, una pittura proveniente da Parigi venne ad unirsi al gruppo: era una tendenza ancora più o meno cubista, ma che, per esser passata attraverso il luminismo ed il divisionismo, e pur considerando l'opera cubista come la più alta delle pitture, la trovava illogica nel senso che era composta di elementi eterogenei, cioè di forme astratte e nello stesso tempo di apparenze naturali. Questa tendenza non adoperava più queste ultime ed era già pervenuta all'astrazione totale delle linee curve: s'esprimeva con il colore, che non era ancora primario e con la linea retta nelle sue due opposizioni principali (Mondrian). Tuttavia era ancora pittura troppo pittorica perché cercava di esprimere un certo volume (già ridotto) nel senso del cubismo. E fu soltanto con l'unione di queste due tendenze che, successivamente ma molto rapidamente, nacque il mezzo di espressione universale, il piano rettangolare di colore primario.

In principio i vari artisti sunnominati componevano questo mezzo elementare su di un fondo bianco o nero. Ma, lavorandovi, si giungeva intuitivamente a percepire che la vera unità del quadro esige un'*equivalenza totale dei piani e del fondo*, o, meglio, che l'antico *fondo* del quadro non deve esistere per nulla. Così non si cercava che *l'equilibrio di piani di colore e di altri di non-colore (bianco nero e grigio)*. Le due opposizioni contrastanti ed annullanti (neutralizzanti) erano poste in *equivalenza*.

Il piano, divenuto il solo mezzo plastico, ha la massima importanza in pittura. Esso sopprime il predominio della materia, la cui espressione assoluta ha tre dimensioni. Tuttavia, sebbene nella nuova pittura la terza dimensione visiva si perda, essa s'esprime mediante i valori ed il colore nel piano.

Nella tendenza che s'era sviluppata a Parigi non è soltanto notevole l'influsso del cubismo, ma anche quello di Parigi come città. I piani enormi degli edifici, spesso colorati dagli affissi, suggerivano anch'essi una pittura *per piani*. Era una delle cause esteriori – in fondo era lo *spirito del tempo nuovo* – che si manifestava in vari paesi ed in modi diversi ma sempre omogenei nel senso dell'astratto.

L'organizzazione in Olanda del gruppo del quale ho parlato fu opera di van Doesburg, come pure la fondazione dell'organo "De Stijl" (Lo stile). Il gruppo comprendeva non soltanto pittori, ma anche alcuni architetti che seguivano la stessa via (Oud, van 't Hoff, Rietveld, Wils). Tuttavia, la plastica nuova, e per essa la nuova estetica, è nata dalla pittura e questo, forse, perché essa può concentrarsi sul *piano* ed è più libera dell'architettura.

L'expression plastique nouvelle dans la peinture, in "Cahiers d'art", 7, 1926

Casa - strada - città

In architettura la materia si snaturalizza in modi diversi, e la tecnica non ha ancora detto l'ultima sua parola sul soggetto: la *rugosità*, l'*apparenza rustica* (tipica delle materie naturali) *deve scomparire*. Dunque: 1) La superficie della materia deve esser liscia e brillante, e questo sminuisce anche l'aspetto pesante della materia stessa. Ci troviamo ancor qui innanzi ad uno di quegli esempi nei quali si vede l'arte neoplastica andar d'accordo con l'igiene che esige del pari superfici lisce, che si possono facilmente pulire. 2) Il colore naturale della materia deve anch'essa scomparire, e, fin quanto sarà possibile, sotto uno strato di colore puro e di non-colore. 3) Non soltanto sarà snaturalizzata la materia in quanto mezzo plastico (elemento costruttivo), ma lo sarà anche la composizione architettonica. *La struttura naturale sarà annullata mediante un'opposizione neutralizzante ed annullante.*

L'applicazione di queste norme distruggerà l'espressione tragica della Casa, della Strada e della Città. Mediante opposizioni equilibrate, rapporti di misura (dimensioni) e colori stesi con rapporti di posizione, la gioia fisica e morale – condizione di salute – si diffonderà. Con un po' di volontà, non sarà impossibile creare una specie di Eden. Certo, questo non si ottiene in un sol giorno: ma col prodigare le proprie forze e facendo assegnamento sul tempo, non soltanto ci si può certamente pervenire, ma se ne proverebbero, fin da domani, i vantaggi. Lo spirito astratto non è annullato dal passato che si mostra ancora ovunque: conscio della propria forza, esso non vuol vedere che l'espressione del futuro e,

raccogliendo tutte le espressioni sparse nello spazio, costruisce (astrattamente) questo paradiso terrestre, ed in queste creazioni si realizza e trasforma senza distruggere.

Il fatto che l'applicazione delle norme neoplastiche nell'architettura segni la via del progresso ci viene confermato dalla stessa realtà, che nasce e cresce, sviluppandosi per forza di necessità, cioè delle nuove esigenze della vita, del materiale nuovo, ecc. Quanto è oggi all'avanguardia, dal punto di vista tecnica e costruzione, è quel che maggiormente s'avvicina al neoplasticismo. Il neoplasticismo in effetti s'afferma meglio nella metropolitana che a Notre Dame, e preferisce la torre Eiffel al Monte Bianco.

In questo articolo ho discusso di certe idee e della loro manifestazione in norme fondamentali. Se ho poco discorso dei particolari di esecuzione, è perché so che la vita esteriore è in perpetuo cangiamento... la vita aerea, per esempio, potrà senza dubbio imporci un ben diverso costruire degli edifici. Ma tutto questo non muterà nulla nelle norme plastiche che abbiamo or ora definite, e, al contrario, conferma sempre maggiormente che esse si manifesteranno nelle costruzioni più moderne e d'avvenire.

Le esigenze della vita nuova modificheranno i particolari tutti dell'esecuzione e questi, del resto, hanno così poca importanza, in relazione alla *nuova concezione* che è tutto.

Concludendo. La Casa non può esser più circoscritta, chiusa, separata. E neppure la Strada. Pur avendo funzioni diverse, questi due elementi debbono formare un'unità. Per ottenerla, non si può considerare la Casa come una scatola ed uno spazio vuoto. L'idea della Casa – casa, dolce casa – deve andar perduta, come del resto l'idea di Strada.

Neo-plasticisme: de woning - de straat - de stad, in "International revue i 10", I, 1927

Liberazione dall'oppressione nell'arte e nella vita

La storia, gli avvenimenti attuali e soprattutto la vera espressione dell'arte plastica mostrano chiaramente il danno dell'oppressione e la necessità della libertà. Il problema: "che cosa è l'arte?" non può essere risolto con l'illustrare le nostre concezioni personali, perché esse variano secondo il sentire individuale. Attualmente l'arte plastica si manifesta in due tendenze principali: la *realistica* e l'*astratta*. La prima è consacrata come un'espressione del nostro sentimento estetico, cui dà aspetto l'apparenza della natura e della vita. La seconda è un'espressione astratta di colore, forma e spazio con mezzi formali o piani più astratti e spesso geometrici; non segue l'aspetto della natura ed è suo intento creare una nuova realtà.

Queste definizioni sono incomplete e spesso ingannevoli. Anche l'arte più astratta non nasce soltanto da una fonte interiore. Come in ogni arte, la sua origine è nell'*azione reciproca dell'individuo e del suo ambiente* ed è *inconcepibile senza sentimento*.

Liberation from oppression in art and life (1941), in *Plastic art and pure plastic art*, 1945

Mondrian *Itinerario di un'avventura critica*

Il cubismo estremamente astratto di Mondrian, olandese (si sa che il cubismo ha fatto il suo ingresso al museo di Amsterdam; mentre qui i giovani pittori sono trascurati, là vengono esposti dei Braque e dei Picasso assieme a dei Rembrandt), Mondrian, derivato dai cubisti non li imita. Sembrerebbe aver subito soprattutto l'influenza di Picasso, ma la sua personalità resta intatta. I suoi alberi e il suo ritratto di donna rivelano una cerebralità sensibile. Questo cubismo segue una strada differente da quella che sembrerebbero prendere Braque e Picasso [...].

G. APOLLINAIRE, *A travers le Salon des Indépendants*, "Montjoie", 18 marzo 1913

[...] Perciò sarebbe grave errore considerare gli artisti di De Stijl come meri musicisti del colore e della linea, come compositori precisi e graziosi: sarebbe un giudizio ingiusto perché essi verrebbero così valutati secondo i criteri dell'arte decorativa, a cui invece sono sempre violentemente opposti. No, la loro arte è improntata tutta all'idea centrale di offrire un'immagine dell'armonia universale, e non si limita certo a speculazioni estetiche. Ogni lavoro di De Stijl muove da questo solo criterio rimanendo così a contatto con la vita stessa. Ogni quadro di De Stijl si presenta agli occhi – o alla mente – di chi lo contempla come un esemplare della purezza della vita futura. Mondrian ha formulato chiaramente la concezione etica del gruppo, soprattutto nel suo saggio *De Kunst en het Leven* (L'arte e la vita). Il suo assioma è questo: la vita dell'uomo d'oggi non ha saputo trovare ancora l'ordine e l'armonia che pur sono la meta finale di ogni manifestazione di vita. La soggettività umana, l'individualismo arbitrario, ha ostacolato la realizzazione dell'armonia, perturbato la purezza della vita, e distolto l'uomo dal suo unico scopo verace. L'arte invece ha già trovato quell'armonia e l'ha saputa esprimere plasticamente, perché la oltrepassato la barriera dell'individualismo. L'arte anticipa dunque la vita e di lì deriva il suo compito di guidare la vita verso la realizzazione dell'armonia universale. L'arte come guida e pioniere, ecco l'idea che non abbandonava mai i membri di De Stijl. Un'idea nuova e rivoluzionaria, ma anche utopistica. Mondrian stesso ha vissuto però sempre in quell'avvenire utopistico: un primo indizio di questa sua visionaria concezione del mondo di uomini e cose è la dedica al suo libriccino *Le Néoplasticisme* del 1920: "Aux Hommes futurs".

Mondrian si rendeva perfettamente conto che la coerente realizzazione del suo pensiero equivarrebbe alla fine della pittura. Ma non se n'è occupato: fin tanto che l'armonia universale non

fosse ancora realizzata nella vita quotidiana – egli diceva – doveva la pittura sostituirne temporaneamente la funzione. Se in un tempo avvenire l'armonia sarà penetrata in tutti i domini della vita, la pittura avrà esaurita la sua funzione e sarà superflua.

H. L. C. JAFFÉ, *Il gruppo 'De Stijl'*, 1956

Non è certamente facile orientarsi negli scritti di Mondrian: egli espone le sue idee con ostinate ripetizioni di quelle fondamentali, dando poi loro corpo ed accompagnamento con una serie di osservazioni, nelle quali il suo spirito filosoficamente non disciplinato confonde ricerche tecniche con proposizioni teoriche, che qualche volta si contraddicono l'un l'altra, e pensieri di varia provenienza, che rendono fluttuante ed impreciso il suo. Senza dire dell'uso indiscriminato del linguaggio filosofico e del valore incerto attribuito a parole come rappresentazione, creazione, e simili, assunte spesso con significati diversi e persino contraddittori.

In sostanza, il motivo fondamentale [...] è quello dell'identificazione dell'arte con la vita, fino al punto che l'arte dovrà scomparire, configurandosi la vita come arte. Da qui, la necessità dell'abolizione dell'oggetto, in quanto dato fuori di noi, per sostituirlo con la rappresentazione dei rapporti tra le cose, attraverso i quali l'artista esprime la propria idea del mondo, intesa come conoscenza. Motivi non nuovi, che decorrono dal concetto dell'arte come creazione e quindi libera dall'imitazione, tema caro al Fiedler, che Mondrian rinfresca, facendo oggetto dell'arte non più la "visibilità" ma la "pura realtà".

Lo stimolo del mondo che ci circonda, posto quale punto di partenza, rappresenta per l'artista una schiavitù, in quanto poco o molto, bene o male, fornisce degli elementi – accidenti o apparenze che si vogliano chiamare – dei quali bisogna tener conto, e che al un certo punto condizionano l'immagine che vogliamo esprimere e le impediscono quella totale libertà, senza la quale non si dà arte: e questo sia che si vogliano interpretare soggettivamente, sia che ci si voglia attenere letteralmente.

O. MORISANI, *L'astrattismo di Piet Mondrian*, 1956

Mondrian non era affatto, come lo descrive un critico americano che non l'ha certamente mai visto, "un ometto piccolo, secco e dritto". Piuttosto alto, senza essere un atleta, appariva robusto con estremità sottili. Le sue mani, molto slanciate, erano sensitive. All'epoca in cui l'ho conosciuto portava dei sottili baffi a spazzola,

scomparsi nel 1937. Molto riservato con gli sconosciuti, timido con le donne e facile ad arrossire, aveva delle piccole manie da scapolo. Mai avrebbe voluto apparire artista, *bohème*, come tanti degli abitanti del quartiere di Montparnasse. Desiderava essere considerato quasi un signore di città, un borghese di Parigi. Il suo gestire e il suo modo di camminare mostravano una grande distinzione. Ma più ancora egli si distingueva per la nobiltà di carattere e una rara delicatezza con gli amici. Se l'aspetto fisico e il comportamento morale erano quelli di un aristocratico, la voce molto fievole, un po' opaca, denunciava la squisita sensibilità dello spirito. Il suo parlare era esitante, quasi un mormorio, spesso con una curiosa esitazione infantile. S'imbrogliava facilmente con le parole. Quando gli si chiedeva di ripetere, arrossiva, balbettava ancor di più, diventava praticamente incomprensibile. Era il modo di esprimersi di un'anima eccessivamente pudica e prudente, di un pensiero che camminava a tentoni, come è giusto, nel mondo sornione delle parole. E questa insicurezza di parole non finiva mai di formare un contrasto strano con l'atmosfera chiara e semplice dell'*atelier*.

M. SEUPHOR, *Piet Mondrian. Sa vie, son œuvre*, 1956

Conosco piuttosto bene gli scritti di Mondrian e se mi chiedete se essi hanno insegnato molto, allora devo dirvi onestamente "No". Ed è forse perché noi collaboratori di "De Stijl" partecipavamo dello stesso pensiero e ci si comprendeva d'intuito, ma può essere anche che tale mio giudizio trovi la sua origine nel fatto che Mondrian, in fondo, ripeteva sempre lo stesso principio; quasi allo stesso modo di Schopenhauer che nel suo volume *Il mondo come volontà e rappresentazione* tratta ampiamente un semplice tema in un numero infinito di variazioni. Anche il tema di Mondrian è molto semplice ed egli lo ha riassunto così chiaramente nella breve formula: "Equilibrato rapporto fra la posizione e la misura del colore".

Sapete certamente che dapprima egli dipinse in maniera naturalistica. Sul principio con molta semplicità, come ogni pittore normalmente comincia. Poi sempre più con lunghi tratti, grandi tasselli e macchie di colore. Il *Faro di Westkapelle*, già di un'epoca più tarda, è dipinto in un modo simile alla maniera di Seurat ma ingrandita: invece di punti di colore, quadratini di colore. Se si osserva attentamente c'è già in questo la maniera che sarà poi definitivamente sua.

Il passaggio dal naturalismo alla cosiddetta maniera "plastica" si trova in modo molto evidente nella serie dei disegni di un albero che passa attraverso differenti stadi di raffigurazione e che da naturalistico diviene progressivamente astratto. Un albero dell'Aia fatto in diversi anni! Si vede sempre più scomparire la forma naturale che viene riportata a una sintesi di linee per lo più tracciate con vigore.

Comincia allora il periodo astratto. Nel *Campanile* lascia vedere soprattutto linee verticali e orizzontali, ma vi è ancora un po' di squilibrio nel centro del quadro ed è ancora accennata una ellisse come delimitazione del dipinto. Da qui, passando per tele madreperlacee, nascono i quadri di lineette e crocette, di crocette sole, di tasselli di colore liberi, a sé stanti. Si vede allora che egli ha trovato quello che cercava e nascono i quadri del suo grande periodo : combinazioni di linee rette e tasselli di colore puro con molto bianco. Le righe nere ora più grosse, ora più sottili e il colore puro tendono sempre più alla luce. Mentre gl'impressionisti ritraggono la luce, la pittura di Mondrian è la luce stessa. In questo senso non conosco quadri più evidenti e più chiari dei suoi.

Quasi fino alla morte egli mantenne sempre lo stesso stile : soltanto verso la fine avviene un mutamento abbastanza appariscente. I due *Boogie-woogie* (il *Broadway* ed il *Victory Boogie-woogie*) hanno una maggiore vivacità e una ritmica più gioiosa. Ne vien fuori un che di più scintillante e va scomparendo quel tanto di fortemente luminoso che era nelle sue opere precedenti. Molti considerano ciò un regresso. Per me non è così : è un arricchimento nel quale da un lato si è perduto qualcosa ma dall'altro si è guadagnato. Nel corso della sua evoluzione interiore senz'altro questo mutamento avrà avuto la sua necessità ; si gode tanto di queste pitture che io non sento il bisogno di addentrarmi in questo problema : ammesso che ce ne sia uno.

J. J. P. OUD, Introduzione al catalogo della mostra "Piet Mondrian" a Roma e Milano, 1956-57

Non è il luogo di seguire, qui, il cammino di Mondrian. A noi preme soltanto di rilevare che egli non fu mai, nemmeno da giovane, un naturalista. Anche per questo egli ci sembra definitivamente appartenere alla tensione estrema d'una civiltà pittorica che ci sentiamo decisamente alle spalle. Per questo sottoscriviamo in pieno le recenti parole del Brandi : "Per quanto Mondrian sia morto nel 1944, la sua pittura non è meno da museo di quella dei *fauves* o dei primi cubisti, non è meno spiritualmente conclusa ...". Crediamo di sentire che la ruota della pittura ha girato ora verso altri approdi, rispetto ai quali Mondrian resta soprattutto un fondamentale antipodo (nulla sarebbe più sollecitante che accostare, anche materialmente, un Pollock ad un Mondrian), un caso-di-limite morale che incita a tendere quasi implacabilmente verso altre mete. Non fu mai un naturalista, si diceva ; se mai fu un realista, se per realismo s'intende l'indicazione esatta, quasi logica nella sua conclusa chiarezza, delle cose. Il *Paesaggio con nube rossa*, ad esempio, del 1908, non dà della natura né la profonda verità naturale né l'immediatezza della presa sui sensi ; sembra darne invece, sotto la specie d'una scarnita e sobria tessitura di colore-luce, vivida e delicata, una stringente ed esatta "descrizione" ; tanto che pare anticipare di quasi mezzo secolo certe recentissime suggestioni, sobriamente figurative, d'un De Staël. Ma gli spazi, ma la riduzione della tavolozza, alludono già a quell'"aspetto interiore" delle cose

di cui Mondrian affermava che "si vede attraverso la superficie delle cose". Per cui, valicando d'un solo scatto quel lungo processo che illuse Mondrian del raggiungimento d'una verità assoluta, e che credette di portarlo a "valicare quella frontiera tra il dominio fisico e quello dello spirito che i nostri sensi non possono valicare", potreste trapassare questo paesaggio, direttamente, entro gli spazi, le proporzioni, le superfici ora ben più colme di quella sua strana luce, d'una fra le tante *Composizioni* del suo periodo neoplastico : quello che fa sì, lo si valuti come ognuno può creder meglio, che Piet Mondrian è Piet Mondrian ; e nessun altro, proprio nessun altro, chiuso nel suo deserto ancora abitato da quell' 'altro', di cui parlava in un suo scritto composto tra il 1914 e il 1918 : "Se si è per molto tempo amato la superficie delle cose, si cercherà infine altro".

Questo passaggio all' 'altro' di quella 'immagine interna' di cui parlava Mondrian, lo apparenta indubbiamente agli stessi pittori che all'incirca negli stessi anni operarono un analogo mutamento : da Kandinsky a Kupka, da Malevitch a Klee. Ma più di tutti egli si illuse che in questo passaggio dalla rappresentazione descrittiva della natura alla dimostrazione diretta dello spirituale si potesse raggiungere un assoluto. Egli scriveva, ancora : "L'arte è al disopra di ogni realtà, non ha alcuna relazione diretta con la realtà... Per avvicinarsi allo spirito in arte, occorre adoperare il meno possibile la realtà, perché essa s'oppone allo spirito. Donde è perfettamente logico l'uso di forme elementari. Dal fatto che queste forme sono astratte, deriva che ci troviamo in presenza d'un'arte astratta". O, ancora : "Il permanente (l'immutabile) è al di sopra di ogni miseria e di ogni felicità : è l'equilibrio". Il fatto che Mondrian si sia sentito il bisogno di ripetere più volte l'atto creativo della pittura, e che abbia più volte variato quel gesto di supremo equilibrio vitale in cui avrebbe dovuto, a suo avviso, risolversi l'arte, e che – fosse stato veramente tale – le avrebbe dovuto appagare una volta per sempre, prova la sua relativa e umana sconfitta ; ma, altrettanto, la sua pur sempre relativa ed umana grandezza.

F. ARCANGELI, *La volontaria prigione di Mondrian*, in "L'Europeo", 27 gennaio 1957

È nostra personale convinzione che la *vera preistoria* di Mondrian (del Mondrian che conta : dal '19 in poi) vada cercata nella tradizione architettonica giapponese. Strutture, impaginazioni spaziali, 'spirito', certo ; ma anche desunzione diretta, precisa, palmare della partitura, delle pareti (così esterne come interne), esibita dagli edifici residenziali (palazzi imperiali, stabilimenti monastici, dimore private) costruiti nel corso dei secoli secondo la tradizione locale.

D. GIOSEFFI, *La falsa preistoria di Piet Mondrian e le origini del neoplasticismo*, 1957

La poetica di Mondrian è legata appunto a questo problema che la cultura romantica aveva ereditato dalla filosofia kantiana: al problema cioè della persistente e irrisolta antinomia tra la vita dello spirito e la vita della natura. "Tra il dominio fisico e quello dello spirito c'è una frontiera che i nostri sensi non possono valicare", ha scritto Mondrian, mostrando come quella antinomia fosse ben presente al suo animo. Ma è appunto questo distacco tra l'uomo e la na-

tura, che Mondrian vuole superare ad ogni costo, perché avverte drammaticamente in esso la sorgente di ogni disarmonia : "Fin tanto che l'uomo è dominato dalla propria individualità fuggitiva, piuttosto che coltivare la propria essenza, che è universale, egli non cerca e non può trovare che la propria persona".

"Nondimeno", aggiunge l'artista, "lo spirito penetra il fisico ed agisce su di esso. Del pari dalla sfera spirituale [Mondrian ha poi sostituito questo termine con quello di 'artistica'] penetra la realtà". Il pittore affida cioè proprio all'arte (la sua correzione, ricordata da Morisani, ci sembra in proposito significativa) il compito di risolvere l'antinomia tra spirito e natura, mondo intelligibile e mondo sensibile. L'artista è l'unico in grado di compiere il "salto" dall'uno all'altro termine del binomio perché egli "vede per intuizione le cose molto più spiritualmente che non gli uomini comuni", riuscendo a cogliere attraverso la superficie "l'aspetto interiore delle cose".

Nella poetica di Mondrian l'arte acquista così lo stesso valore che essa aveva per i primi romantici tedeschi, il valore cioè di conoscenza assoluta, e la bellezza finisce con l'identificarsi con la verità. "La filosofia come l'arte", ha scritto Mondrian, "esprime plasticamente l'universale : la prima si esprime come verità, la seconda come bellezza. Siccome in fondo verità e bellezza non sono che una cosa, non è logico negare l'evidente parentela di queste due plastiche". L'arte tuttavia assume nel pensiero di Mondrian, non diversamente dalle poetiche di un Novalis o di Hölderlin, il compito di condurci ad un assoluto che è soltanto un assoluto teoretico, giacché essa è in grado di assicurare all'uomo la conquista (o il recupero) di un mondo più felice. "Quando l'uomo nuovo" scrive difatti Mondrian [...] "avrà trasformato la natura in quel che è egli stesso – natura e non natura in proporzioni equilibrate – allora l'uomo – ed anche voi – avrà recuperato nell'uomo il paradiso sulla terra".

F. MENNA, *Mondrian*, 1962

Nel quadro *Composizione con linee* è proprio la composizione delle linee che pone il problema : problema che, lo confesso, non mi è stato né facile né immediato di capire e di schiarire ; e perciò invidio a tutt'uomo tanti critici, quasi tutti, che capiscono subito e senza difficoltà, non lo metto in dubbio. Ho parlato di egualità e di contrasto, di tema e di variazioni. Debbo aggiungere la relazione dialettica con una trama storica. Mondrian ha elaborato gruppo per gruppo, lassa per lassa, a una a una, quasi auscultando lungamente in un profondo silenzio, le serie delle linee opposte e incrociate sul piano bianco, vergine, intatto. Ma la disposizione che è il risultato non si è autogenerata in una sorta di assenza mistica : è sviluppata su una serie di quadrati e di figure regolari di diverse dimensioni, che per quanto spezzati dalle pause o dalle interruzioni conservano alla rappresentazione un saldissimo telaio architettonico. Questo telaio non ha, peraltro, nulla di un diagramma meccanico, e malgrado la unitarietà del modulo e la sua presenza per tutto, né stabilizza l'immagine né la rende simultanea o paritetica ; d'altronde solo i segmenti lineari sono, su tutta la superficie, di misure eguali (se ne contano almeno sei serie), mentre nessuno dei motivi angolari o cruciali o spezzati è mai ripetuto, nemmeno in direzione opposta. Il ritmo di questa nuova notazione neumatica si potrebbe dire, con parole di Strawinsky, di "slanci convergenti verso il riposo", ma esso è ritmo, e non disordinata effusione o aggregato giustapposto, perché ogni elemento locale, per consonanza o per dissonanza, è sciolto e librato come affiorando da una modulazione tematica, di fondo, che esiste, non è invisibile, è parte costitutiva della vita estetica dell'opera. Partendo dal grande quadrato in alto che include la zona più rarefatta di segni, altri se ne possono tracciare continuamente, sia nel più fitto anello periferico, sia interferenti tra quello e questo, sia inclusi o tangenti. È una rete che in superficie produce una trama di sovrapposizioni e di figure molteplici, e che vista spazialmente mostra come la ripetizione della figura bàsica, nelle dimensioni mutevoli e negli spostamenti, crea una moltitudine di distanze o intervalli. La soluzione delle linee continue in segmenti, la loro interruzione generale ha conservato e aumentato sia il movimento in superficie, in una continua espansione, che il movimento in spessore indefinito, perché la intercidenza delle doppie relazioni proprie di ogni elemento ne ha moltiplicato la valenza, nelle due direzioni. C'è un ritmo generale, con immersioni ed emersioni mai eguali, di ricchissima variazione, ma contenuto in una forte disciplina strofica, non evadibile; una temporalità che tende ad essere periodo incessante, piuttosto che sviluppo conchiuso, ed a cui si deve la forma aperta dei margini connessa con l'immagine generale circolare entro al quadro, secondo un'esperienza già più volte operata di rinvio continuo all'interno, di reimmissione nel movimento ritmico degli estremi lineari.

Anche in questo quadro di *Cielo stellato*, dunque – che per conto nostro è tra le opere più raggiunte e significative di Mondrian – l'artista non nega la "tradizione", pur se la ri-genera nella sua esigenza: consistenza e innovazione, dialettica tra passato e presente nella tensione di un tempo spirituale che sta trovando la sua forma, accertando la sua fecondità poetica. La croce come unità di spirituale e di materiale, di universale e di individuale, di maschile e di femminile, l'angolo retto come immobilità del positivo e del negativo come fine dell'azione e del tragico, e gli altri *leitmotiven* mistica e trascendentista di Mondrian sono strumenti poveri ed evasivi, rispetto a questo processo serrato di costruzione che vede una nuova attività artistica operare su un fondo immemorabile per raggiungere una forma singolare di contemplazione. A guardare questa opera, a leggere la sua complessità di elaborazione ed a capire il sostegno di visione sicura che ha dovuto reggere con tanto dominio una gittata così ampia e così ricca di pericoli e di insidie, non ci si maraviglia che Mondrian in questo periodo abbia prodotto quantitativamente tanto poco; lo sforzo sintetico e l'ampiezza della sola *Composizione con linee* postulano la sua lunghezza temporale.

Non so se un critico musicale, leggendo il ricavato dell'analisi pur sommaria, vedrebbe nella opera di Mondrian una nuova polifonia. Nella storia musicale, non meno che nella storia artistica, di questo secolo gli arcaismi e le reviviscenze barbariche o primitive sono frequentissime, proprio in polemica reazione contro la "tradizione occidentale": come si rifiuta la prospettiva centrale per tornare alla superficie e al colore disteso, così si rifiuta l'armonia o la sinfonia per tornare alla monodia o alla polifonia, a forme musicali ancor più remote, ed estremo-orientali. Quel che possiamo dare per certo, è che nella *Composizione con linee* non operano soltanto, nel sistema

costruttivo, i cànoni geometrici, ma anche una riduzione nipponica, ancora: conferma e preludio.

C. L. RAGGHIANTI, *Mondrian e l'arte del XX secolo*, 1962

Un quadro di Mondrian non rappresenta nulla: non è che una superficie accuratamente suddivisa, per mezzo di spesse linee verticali e orizzontali, in un certo numero di quadrati e di rettangoli di grandezza diversa, riempiti di tinte piatte; qualche volta i colori sono soltanto due, quello delle linee e quello del fondo.

Evidentemente quel quadro non "parla al cuore" e non suscita alcuna commozione; non ha alcun riferimento palese con altre opere di pittura antica e moderna; non tradisce nell'artista alcun accento di emozione o d'ispirazione. È chiaro che quel dipinto non vuole persuadere, ma soltanto dimostrare. Che cosa?

Lo schema compositivo è rigorosamente geometrico, ma è facile accorgersi che non mira a esaltare una metafisica bellezza delle forme geometriche. La sensazione che esso dà allo spettatore è quella di una superficie piana; ma se lo si paragona ad una superficie campìta con una qualsiasi tinta piatta, ci si avvede che il quadro dà una sensazione molto più lucida ed esauriente di ciò che è una superficie piana. Supponiamo che il quadro presenti quattro scomparti asimmetrici, rispettivamente dipinti in grigio, azzurro, giallo e rosso, e che le linee divisorie siano nere. È noto che, pur rimanendo nell'ambito dei colori puri, alcuni di essi sono più luminosi ed altri più scuri: i primi tendono generalmente ad emergere e i secondi ad allontanarsi dal primo piano. Invece, nel quadro di Mondrian, l'insieme di quelle zone colorate ristabilisce il piano; se estendiamo il nostro esame a tutti i quadri di Mondrian dal 1917 in poi, vedremo che la distribuzione delle zone ed il loro colore variano, ma il risultato è sempre lo stesso: il piano.

Mondrian lavorava molto lentamente e talvolta impiegava molti giorni per spostare di pochi millimetri una delle sue linee divisorie e per alzare od abbassare il tono del colore in uno dei suoi riquadri. Per quanto un suo quadro sia quanto di più semplice e schematico si può immaginare, molti sono i fattori di cui il pittore ha dovuto tener conto nel suo minuzioso lavoro. Tutti sappiamo più o meno precisamente che cosa è un verde o un azzurro: verdi sono gli alberi e i prati, azzurri sono il cielo e il mare. Non soltanto, però, vi sono tanti verdi e tanti azzurri da non potersi dire quale sia il vero verde e il vero azzurro, ma una stessa nota di verde e di azzurro muta con il mutare delle condizioni luminose, con la forma dell'oggetto a cui quel colore è collegato, con i colori degli oggetti vicini. Il colore si manifesta sempre per relazioni, e Mondrian si propone appunto di appurare il principio, la norma o piuttosto il modo di quelle relazioni. Guardando più attentamente il suo quadro, osserveremo che, per esempio, il piccolo rettangolo azzurro viene ad avere lo stesso valore del grande quadrato grigio, e che lo stesso accade per tutti i riquadri e persino per le linee divisorie, che acquistano anch'esse valore di zone colorate. [...] Da quanto s'è detto si deduce che i colori di Mondrian, per quanto proprio perché vogliono presentarsi con quella schiettezza e chiarezza che caratterizza una impregiudicata percezione, non hanno un valore assoluto ma relativo: ciascuno di essi non vale per sé, ma in quanto è inserito in un sistema chiuso di relazioni quantitative e qualitative.

Quel sistema di relazioni mira ad essere la raffigurazione della coscienza nella sua pura e tersa strutturalità, separata dai suoi contenuti storici o d'esperienza; oppure, ed è lo stesso, di una mera spazialità, separata dai suoi contenuti di oggetti. Ma questa strutturalità non è una strutturalità *a priori*, o la condizione preliminare di ogni possibile esperienza, bensì il risultato di tutta la serie delle esperienze, poiché, appunto, la coscienza si costruisce attraverso l'esperienza.

G. C. ARGAN, *Mondrian*,
in *Salvezza e caduta nell'arte moderna*, 1964

Mondrian è molto più legato alla tradizione di quanto comunemente si creda: come gli impressionisti, è persuaso che la pittura non possa oltrepassare il dominio del visibile, anche se probabilmente ignora la prima formulazione di questo postulato risale all'Alberti. Il suo quadro mira soltanto a risolvere un problema di visione, anzi di veduta: a eliminare tutte le pregiudiziali e tutte le convenzioni che influenzano la veduta, a restituirle il suo valore di atto puro, integrale, completo. Il suo scopo è di giungere a fissare il valore della percezione; ma la percezione rettificata, ridotta a valore, non è altro che la percettività, come facoltà dell'occhio e della mente umani. La superficie pittorica non è affatto una finestra aperta su una natura geometrizzata né uno specchio che rifletta, geometrizzandole, le forme naturali: nulla, neppure l'opera d'arte, può eccettuarsi dal mondo dei fenomeni, eccepirsi alla serie fenomenica della realtà. Come aveva insegnato il cubismo, il quadro è un oggetto; come tale è immerso nello spazio indefinito, lo spazio dell'esistenza, e in relazione con tutti gli altri oggetti che costituiscono quello spazio. Ma, risultando da quell'esatto conguaglio quantitativo, ha forza e valore di modulo, impegna nelle sue coordinate tutta la realtà, le comunica il suo ordine proporzionale. Non è soltanto il risultato, è una premessa dell'esperienza: la sollecita e la condizione.

G. C. ARGAN, *Mondrian: quantità e qualità*,
in *Salvezza e caduta nell'arte moderna*, 1964

È tra il '19 e il '20 che Mondrian perviene alla elaborazione definitiva di quel tipo di pittura fatta di righe che suddividono l'intera superficie del dipinto in quadrati e rettangoli, e che prende il nome di "neoplasticismo". È per un'esigenza di maggiore unità che egli coordina tra loro le rette: "Sentendo la mancanza di unità raggruppai i rettangoli". Se in *Più-meno*, altra composizione dello stesso anno, la tela era un luogo casuale dello spazio, dove le forme, in un reciproco rapporto accidentale di associazione e dissociazione, convergevano, ma dal quale tendevano nello stesso tempo a divergere e a propagarsi nello spazio circostante per iterazione infinita di quel ritmo; ora invece la tela riduce a sé, nella sua stringata proposizione, gli elementi della rappresentazione, tende a coordinarli con la massima chiarezza; essa è un centro ideale in cui l'evento spaziale si determina nella sua interezza e totalità, non meno che nella sua dinamica continuità; le rette, scrive Mondrian, "si intersecano, si toccano in tangente, ma non cessano di continuare" (1920). Il risultato si irradia infatti dal quadro all'infinito, ma la tela esaurisce in sé l'intuizione del tutto. È un irradiarsi simultaneo e non il propagarsi di un meccanismo dinamico riproponibile in ogni punto dello spazio nelle sue infinite variazioni. Non sono più sondaggi ed ipotesi, ma determinazioni di volta in volta definitive ed esaurienti, rivelazioni certe e folgoranti.

Il tempo, allora, non è più ritmica dello spazio, ma coincide in modo assoluto con lo spazio: entrambi si identificano nella pura traiettoria sul piano, nell'articolazione coordinata della retta: "La rapidità assoluta esprime nel tempo ciò che la linea retta esprime nello spazio. Essa esclude il predominio dell'individuale, cioè del diaframma tra spazio e tempo" (1923). Al rapporto accidentale, e riproponibile in infinite "posizioni", dei segmenti staccati, si sostituisce quello fisso e immutabile dell'angolo retto, creato dall'intersezione di due linee senza soluzione di continuità; al flusso di molteplici direzioni dinamiche che proponeva la continuità del divenire nello spazio-tempo, succede il necessario confluire delle componenti dinamiche in un rapporto costante che assume intuitivamente la totalità e simultaneità dell'essere.

Non per questo il ritmo cessa di essere l'assunto della composizione: non più un ritmo che misura lo spazio nel tempo, ma che fissa e rappresenta l'identità spazio-tempo; un ritmo che è perfetta equivalenza e quindi contemporaneità di rapporti e non successione di rapporti; un ritmo qualitativo più che quantitativo, e che tuttavia è sempre ritmo, in quanto non è immobile, cerebrale misurazione, ma risultato intuitivo che supera e contiene in sé le premesse dialettiche e dinamiche, e continuamente le coinvolge e le sottintende. È questo implicito dinamismo che bisogna sempre sentire nel quadro di Mondrian. Egli stesso asseriva che "la vitalità si rivela come un continuo movimento dinamico in equilibrio" (1941), e distingueva un "equilibrio dinamico che si oppone all'equilibrio statico"; un equilibrio che cerca di "esprimere l'immutabile e il variabile nello stesso tempo e in equivalenza" (1931) ed è "unificazione delle forme e degli elementi delle forme mediante opposizione continua" (1943). Ora, "la funzione del ritmo" è appunto "di impedire l'espressione statica mediante l'azione dinamica (1941); e poiché è "la legge della equivalenza" che "crea un equilibrio dinamico" (1937), ecco che questo ritmo astratto e traslato, "ritmo in se stesso e non rivestito di forme limitate" (1931), altro non sarà che il simultaneo emergere alla coscienza dei rapporti di equivalenza. Lo dice benissimo Mondrian in questo altro suo passo: "La neoplastica non è decorativa né geometrica [...]. Non lo è quando l'opera neoplasticistica è spinta al suo punto più acuto [...]. È in tal caso che i piani rettangolari formati dalla pluralità delle linee rette, in opposizione rettangolare e necessaria per determinare il colore, si dissolvono per il loro carattere uniforme e il ritmo ne vien fuori da solo, lasciando i piani lì, come un niente [...]" (1931).

Ecco perché la neoplastica non è "decorativa", né, si badi, "geometrica". Infatti la geometria è troppo legata, almeno nella corrente accezione del linguaggio critico-figurativo, all'immagine di una fisicità stilizzata, di un rapporto statico e inerte di forme: mentre del rapporto neoplastico sentiamo costantemente la tensione dinamica. Per questo Mondrian amava avvicinare la sua visione, più che alla geometria, alla matematica, che è puro calcolo intuitivo, pura qualità che riscatta l'inerzia della quantità; e già nel 1923 aveva scritto: "La nuova rappresentazione è più matematica che geometrica".

Tutto questo resterebbe puro vagheggiamento teorico, se nella realizzazione dell'immagine non intervenissero quelle autentiche qualità di pittore, che molti si ostinano assurdamente a non voler riconoscere in Mondrian. Le righe nere, determinando delle traiettorie incrociate che si irradiano dal quadro, formano sì un supporto, un telaio aperto, che già contiene in sé l'intuizione di tutti i rapporti. Ma questi rapporti reagiscono e si sensibilizzano nel colore. Per Mondrian, il bianco e il grigio del fondo, e il nero delle righe, è "non colore", o "spazio"; i blu, i rossi, i gialli sono invece "colore" o "forme". Ma come seguire queste incerte distinzioni teoriche se Mondrian stesso in altre occasioni scrive che "tutto è spazio, sia la forma, sia quello che vediamo come spazio vuoto" (1942), e più volte reclama la abolizione di ogni "forma"? In effetti, come non si può fare distinzione tra spazio vuoto e forma-pieno, nella pittura di Mondrian, così non si può fare tra "colore" e "non colore". Tutto, evidentemente, è colore, e le *Scacchiere* del '19, con il loro quasi impercettibili ma sottilissime variazioni di grigi e di bianchi, lo dimostrano abbondantemente.

M. CALVESI, *Le due avanguardie*, 1966

Nel 1929, ero inquilino di un piccolo alloggio a Vanves. Mondrian arrivava la domenica. A casa mia trovava Vantongerloo, Torrès-Garcia, Russolo e due o tre altri. Qualche volta Arp e Sofia Täuber. È proprio da questi incontri che è scaturita l'idea di fondare il gruppo "Cercle et Carré". Non tocca a me raccontarne la storia. Mondrian, anche senza volerlo, ne divenne presto il personaggio di centro, e in un certo senso l'animatore. Scrisse un importante articolo per il secondo numero della rivista del gruppo. Questo movimento, che fu di breve durata, ha costituito una grande speranza per alcuni artisti di avanguardia di quel tempo. E fu, effettivamente, un gran momento, l'inizio di un sacco di cose.

Per certi spiriti d'*élite* europei, l'*atelier* della rue du Départ era divenuto, all'epoca, una specie di Kaaba. I pellegrini si chiamavano Moholy-Nagy, Gropius, Baumeister, Ida Bienert, la danzatrice Palucca, Freundlich, Alfred Roth, Jozef Peeters, Mies van der Rohe, Le Corbusier, Adolf Loos, Calder, Ben Nicholson, Jean Gorin, Harry Holtzman, Gabo, El Lissitzky, Siegfried Giedion, Marinetti, Prompolini, Vordemberge-Gildewart, Stazewski e i vecchi amici olandesi: Slijper, Oud, van den Briel, van Domselaer. Tuttavia, nel 1936 Mondrian dovette abbandonare quei locali, destinati alla demolizione.

Non si trovò bene nel nuovo *atelier*, in boulevard Raspail. E neppure a New York, dove lo spazio non gli mancava, gli riuscì di ricostruire il clima così particolare della rue du Départ, nonostante i suoi sforzi per dare uno stile personale ai locali. Ma la città di New York, di cui amava il ritmo e le luci, lo ricompensava largamente. Era questo il suo vero asilo e la vivente amplificazione delle sue idee.

Allora la sua opera ebbe un mutamento nuovo e tardivo. Dipinse i "boogie-woogie" che si evidenziano per l'assenza totale del nero e l'apertura verso una specie di inatteso lirismo, che non manca tuttavia di restare fedele alla regola neoplastica.

Quando morì, venticinque anni fa, si dichiararono suoi amici molti di coloro che egli neppure conosceva. Il giorno dei funerali si vide una gran folla. Tutti i giornali di New York parlarono della morte del "più grande pittore olandese contemporaneo".

Poche settimane più tardi, i suoi quadri erano quotati venti volte di più il compenso ricevuto da Mondrian. Ma a questo punto entriamo in tutt'altro argomento, che non ha più nulla a che vedere con la plastica pura e neppure con la personalità morale, così forte, del pittore.

M. SEUPHOR, Introduzione al catalogo della mostra "Mondrian" all'Orangerie di Parigi, 1969

[...] Per Mondrian, senza dubbio il più *civile* dei pittori del nostro secolo, nulla ha valore che non sia verità: 2+2 fanno 4 nell'arte come in aritmetica. E nella morale. L'assunto morale di Mondrian è di "eliminare il tragico dalla vita": e tragico è tutto ciò che viene dall'inconscio, dai complessi di colpa o di potenza, d'inferiorità o di superiorità. È tragico ciò che Mondrian chiama con amarezza il "barocco moderno": l'Espressionismo, il Surrealismo, ma anche la sempiterna gioia di vivere di Matisse, le dirompenti deformazioni di Picasso, il riso tra le lacrime di Chagall. L'artista, per Mondrian, non ha il diritto di influenzare emotivamente e sentimentalmente il prossimo; se arriva a scoprire una verità, ha il dovere di dimostrare come ci è arrivato; se può dimostrarlo, ha il dovere di portare quella verità a conoscenza di tutti, di fare in modo che possa essere spesa nella vita *civile* della comunità. Malgrado talune divergenze, il suo programma non è molto diverso da quello della Bauhaus con cui fu in rapporto; né, salvo l'assunto rivoluzionario, da quello di Malevic e dell'avanguardia sovietica. Cosciente della responsabilità culturale dell'artista, fa della pittura un progetto di vita sociale: non è una società utopistica senza contraddizioni, quella che immagina, ma una società capace di risolvere giorno per giorno, con il ragionamento e senza ricorrere alla violenza, le proprie contraddizioni.

G. C. ARGAN, *L'arte moderna*, 1970

[...] In modo simile, sebbene contemporaneamente ispirata da modelli presenti nell'opera di Braque e Picasso, l'adozione da parte di Mondrian in opere del 1913 come *Composizione ovale con alberi*, di un ben definito schema compositivo ovale, molto probabilmente implicava un significato iconografico derivato dalla teosofia.

L'ovale è visto nella teosofia come una variante del cerchio ed era identificato da Madame Blavatsky e dai suoi seguaci con il "mondo uovo" della mitologia indù, il quale concetto riporta anche direttamente al tema della nascita cosmica e dell'evoluzione. Infine anche l'uso che Mondrian fa a cominciare dal 1918 circa dello schema compositivo a losanga è probabilmente legato a una interpretazione estetica della forma geometrica. Infatti le sue tele a forma di diamante comprendono quadrati perfetti girati in modo da poggiare su un vertice, la quale forma può essere pensata come circoscrivente un'immaginaria croce greca. Nello stesso tempo, questo formato può essere anche letto come una forma alternativa del doppio triangolo teosofico, vale a dire come due triangoli uniti lungo la linea orizzontale che taglia in due la losanga. Queste sono soltanto poche salienti possibilità limitate all'elemento plastico (*beeldend*) "linea", nel quale l'uso che l'artista fa di elementi geometrici di espressione può essere collegato alle teorie cosmologiche di Madame Blavatsky.

R. P. WELSH, *Mondrian and Theosophy*, nel catalogo della mostra "Piet Mondrian, 1872-1944" al Solomon R. Guggenheim Museum di New York, 1971

Il colore nell'arte di Piet Mondrian

Elenco delle tavole

Il numero arabo posto fra parentesi quadre dopo il titolo di ciascuna opera si riferisce alla numerazione dei dipinti adottata nel Catalogo delle opere che inizia a p. 86.

TAV. I   ALBERO SUL KALFJE   Londra, Gimpel   [n. 55]
Assieme (cm. 24,8×28,9).

TAV. II ALBERI SUL GEIN L'Aia, Gemeentemuseum [n. 59]
Assieme (cm. 31×35).

TAV. III ALBERI SUL GEIN Londra, Annely Juda Fine Art [n. 80]
Assieme (cm. 38,1×24,8).

ALBERI SUL GEIN AL CHIARO DI LUNA   L'Aia, Gemeentemuseum   [n. 171]
Assieme (cm. 79×92,5).

TAV. VI   ALBERI SULL'ACQUA L'Aia, Gemeentemuseum [n. 153]
Assieme (cm. 75 × 120).

TAV. VII   NUVOLA ROSSA L'Aia, Gemeentemuseum [n. 176]
Assieme (cm. 64×75).

TAV. VIII   CRISANTEMO MORENTE L'Aia, Gemeentemuseum   [n. 178]
Assieme (cm. 84,5×54).

DEVOZIONE L'Aia, Gemeentemuseum [n. 194]
Assieme (cm. 94×61).

TAV. X   MULINO AL SOLE L'Aia, Gemeentemuseum   [n. 201]
Assieme (cm. 114×87).

TAV. XI ALBERI SUL GEIN Heino (Olanda), Stichting Hannema-de Stuers Fundatie [n. 192]
Assieme (cm. 69×112).

TAV. XII-XIII

PAESAGGIO DI SERA   L'Aia, Gemeentemuseum   [n. 190]
Assieme (cm. 64×93).

TAV. XIV   BOSCO A OELE L'Aia, Gemeentemuseum [n. 200]
Assieme (cm. 128×158).

FARO A WESTKAPELLE L'Aia, Gemeentemuseum [n. 210]
Assieme (cm. 135×75).

TAV. XVI   FARO A WESTKAPELLE L'Aia, Gemeentemuseum [n. 211]
Assieme (cm. 71×52).

P. MONDRIAAN.

TAV. XVII   FARO A WESTKAPELLE L'Aia, Gemeentemuseum [n. 236]
Assieme (cm. 39×29,5)

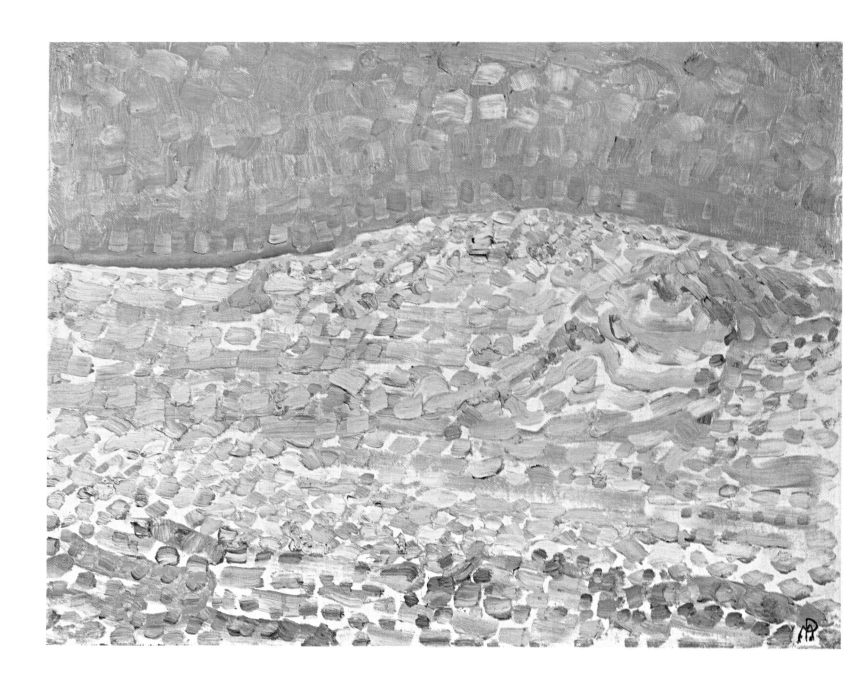

TAV. XVIII   DUNA II L'Aia, Gemeentemuseum [n. 218]
                      Assieme (cm. 37,5×46,5).

TAV. XIX   DUNA V L'Aia, Gemeentemuseum [n. 228]
Assieme (cm. 65,5×96).

TAV. XX   CHIESA A ZOUTELANDE   Montreal, Lambert   [n. 235]
Assieme (cm. 90,5×62).

TAV. XXI   CHIESA A DOMBURG   L'Aia, Gemeentemuseum   [n. 242]
Assieme (cm. 114×75).

MULINO A DOMBURG   L'Aia, Gemeentemuseum   [n. 243]
Assieme (cm. 150×86).

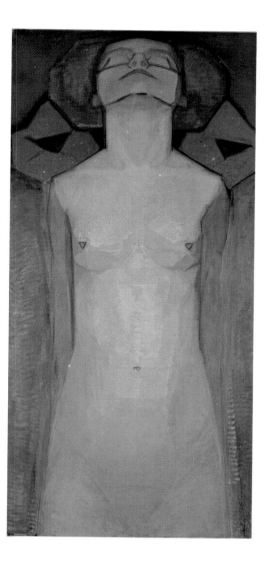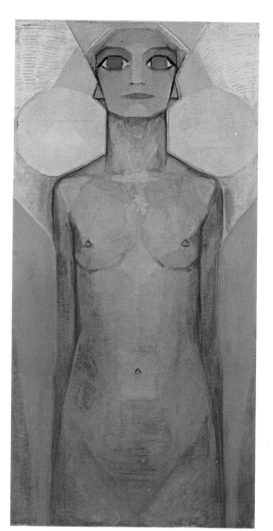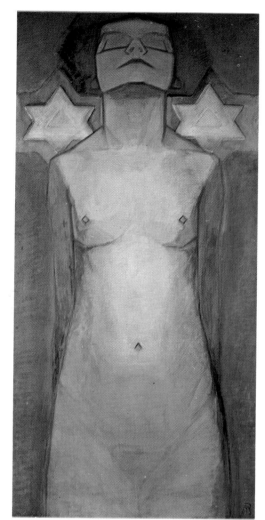

TAV. XXIII   EVOLUZIONE   L'Aia, Gemeentemuseum   [n. 245]
Trittico (elemento centrale, cm. 183×87,5; ciascun laterale, cm. 178×85).

TAV. XXIV   NATURA MORTA CON VASO DI ZENZERO I   L'Aia, Gemeentemuseum   [n. 246]
Assieme (cm. 65,5×75).

TAV. XXV NATURA MORTA CON VASO DI ZENZERO II L'Aia, Gemeentemuseum [n. 247]
Assieme (cm. 91,5×120).

TAV. XXVI   ALBERO BLU L'Aia, Gemeentemuseum [n. 224]
Assieme (cm. 75,5×99,5).

ALBERO GRIGIO L'Aia, Gemeentemuseum [n. 249]
Assieme (cm. 78,5×107,5).

TAV. XXVIII-XXIX

ALBERO ROSSO L'Aia, Gemeentemuseum [n. 206]
Assieme (cm. 70×99).

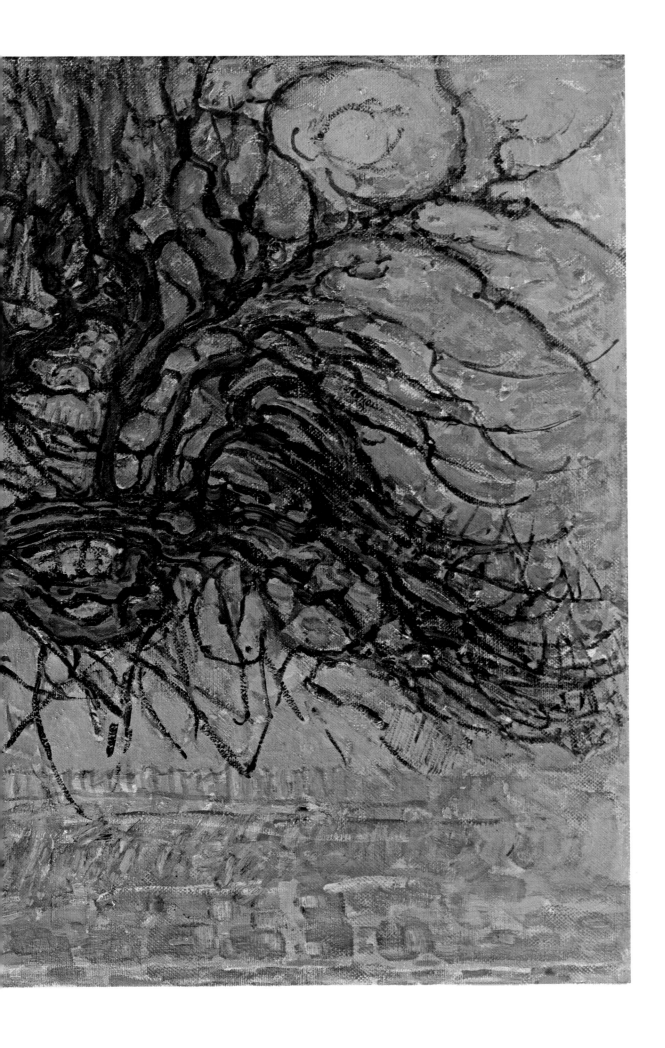

TAV. XXX   MELO IN FIORE L'Aia, Gemeentemuseum [n. 255]
Assieme (cm. 78×106).

TAV. XXXI   COMPOSIZIONE CON ALBERI II   L'Aia, Gemeentemuseum   [n. 268]
Assieme (cm. 98×65).

TAV. XXXII   COMPOSIZIONE N. 3 L'Aia, Gemeentemuseum   [n. 260]
Assieme (cm. 95×80).

TAV. XXXIII   COMPOSIZIONE OVALE CON ALBERI   Amsterdam, Stedelijk Museum   [n. 269]
Assieme (cm. 94×78).

TAV. XXXIV   COMPOSIZIONE IN BLU, GRIGIO E ROSA   Otterlo, Rijksmuseum Kröller-Müller   [n. 272]
Assieme (cm. 88×115).

TAV. XXXV   COMPOSIZIONE N. 7 New York, Solomon R. Guggenheim Museum [n. 270]
Assieme (cm. 106,5×114,3).

TAV. XXXVII   COMPOSIZIONE OVALE   Amsterdam, Stedelijk Museum   [n. 282]
Assieme (cm. 140×101).

TAV. XXXVIII   COMPOSIZIONE OVALE   L'Aia, Gemeentemuseum   [n. 284]
Assieme (cm. 113×84,5).

TAV. XXXIX   COMPOSIZIONE N. 6   L'Aia, Gemeentemuseum   [n. 283]
Assieme (cm. 88×61).

TAV. XL   COMPOSIZIONE 1916 New York, Solomon R. Guggenheim Museum [n. 291]
Assieme (cm. 120×75).

TAV. XLI   COMPOSIZIONE CON PIANI DI COLORE N. 3 L'Aia, Gemeentemuseum [n. 299]
Assieme (cm. 48×61).

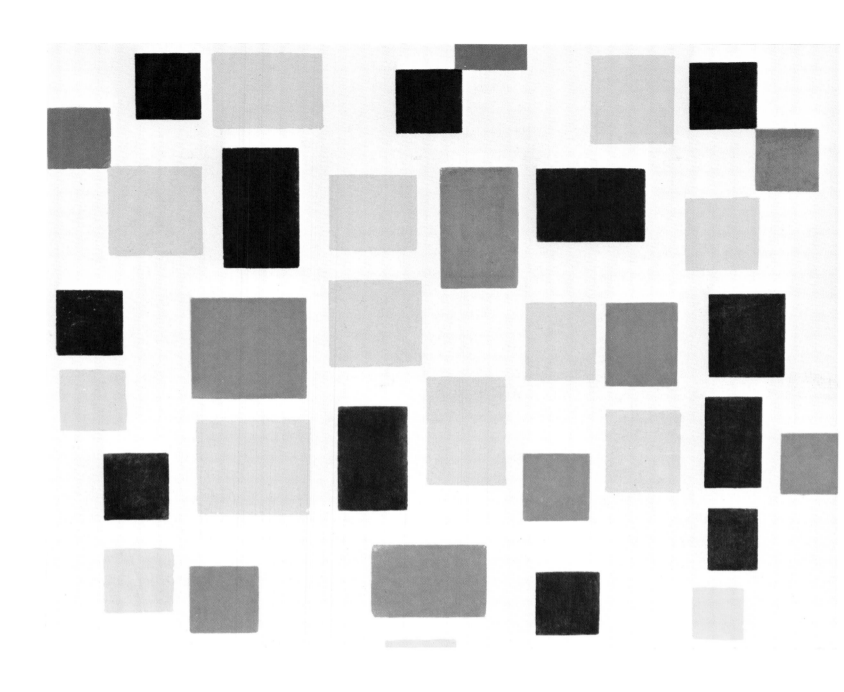

TAV. XLII   COMPOSIZIONE CON PIANI DI COLORE PURO SU FONDO BIANCO New York, Friedman [n. 302]
Assieme (cm. 47×59).

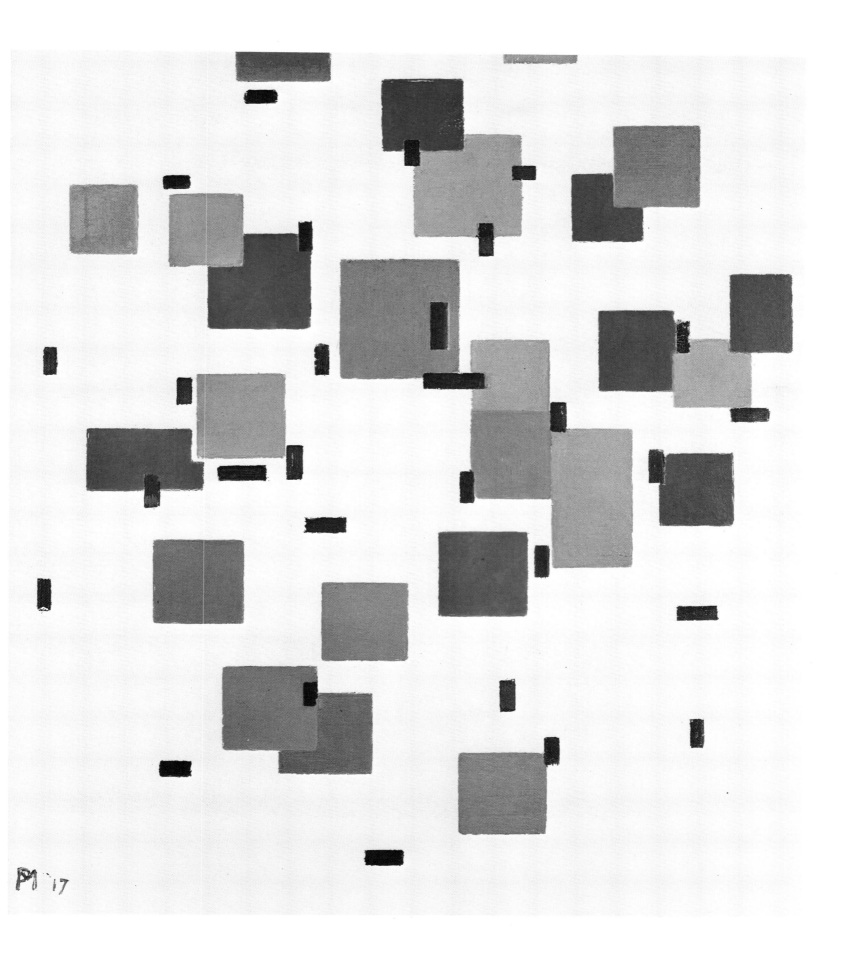

TAV. XLIII COMPOSIZIONE CON PIANI DI COLORE PURO SU FONDO BIANCO A Otterlo, Rijksmuseum Kröller-Müller [n. 298]
Assieme (cm. 50×44).

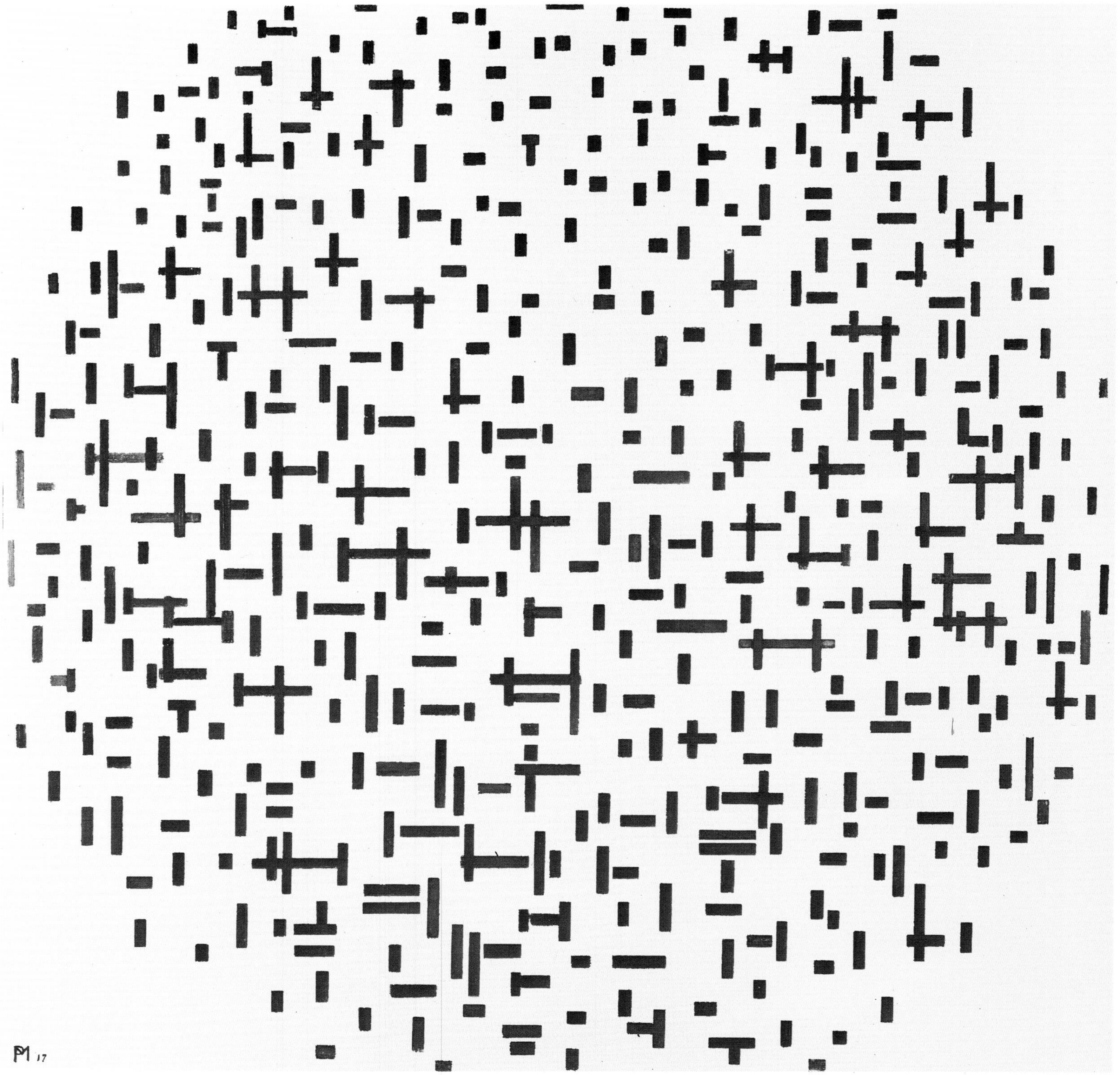

TAV. XLIV COMPOSIZIONE CON LINEE Otterlo, Rijksmuseum Kröller-Müller [n. 296]
Assieme (cm. 108,4×108,4).

TAV. XLV   AUTORITRATTO L'Aia, Gemeentemuseum [n. 304]
Assieme (cm. 88×71).

TAV. XLVI   LOSANGA CON COLORI CHIARI E LINEE GRIGE   Otterlo, Rijksmuseum Kröller-Müller   [n. 309]
Assieme (diagonale cm. 84).

TAV. XLVII   SCACCHIERA CON COLORI SCURI L'Aia, Gemeentemuseum [n. 313]
                   Assieme (cm. 84×102).

TAV. XLVIII   COMPOSIZIONE CON ROSSO, BLU E GIALLO-VERDE Colonia, Hack [n. 319]
Assieme (cm. 67×57).

TAV. IL COMPOSIZIONE CON ROSSO, GIALLO E BLU L'Aia, Gemeentemuseum [n. 331]
Assieme (cm. 103×100).

TAV. L   COMPOSIZIONE CON ROSSO, GIALLO E BLU   L'Aia, Gemeentemuseum   [n. 332]
Assieme (cm. 39,5×35).

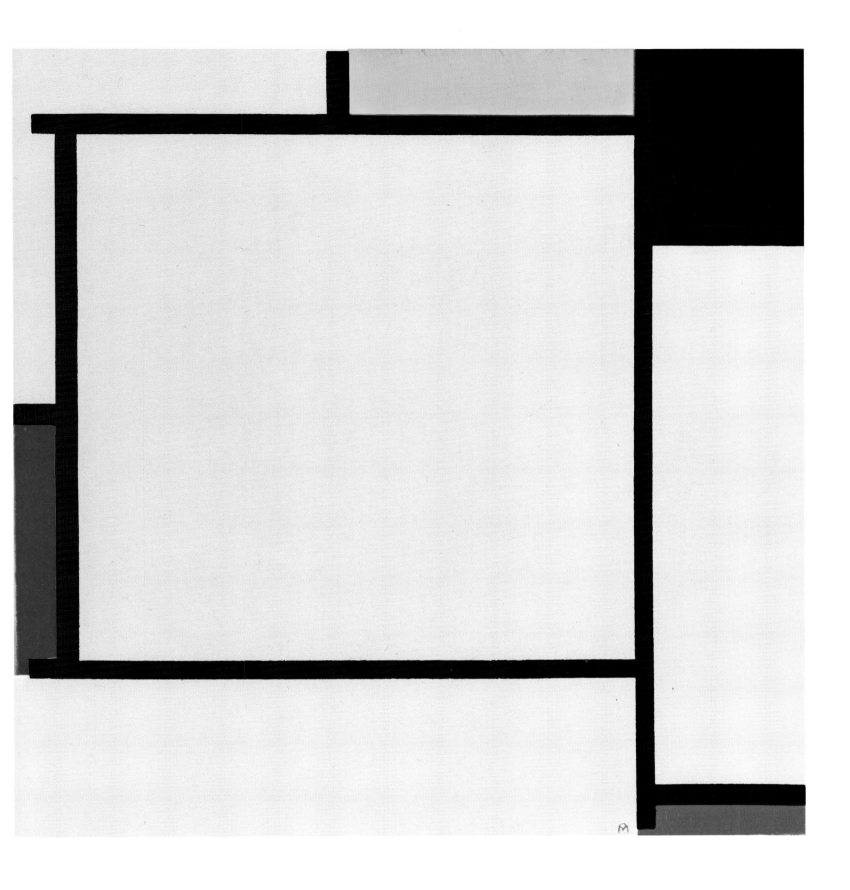

TAV. LI   COMPOSIZIONE 2   New York, Solomon R. Guggenheim Museum   [n. 348]
Assieme (cm. 55,5×53,5).

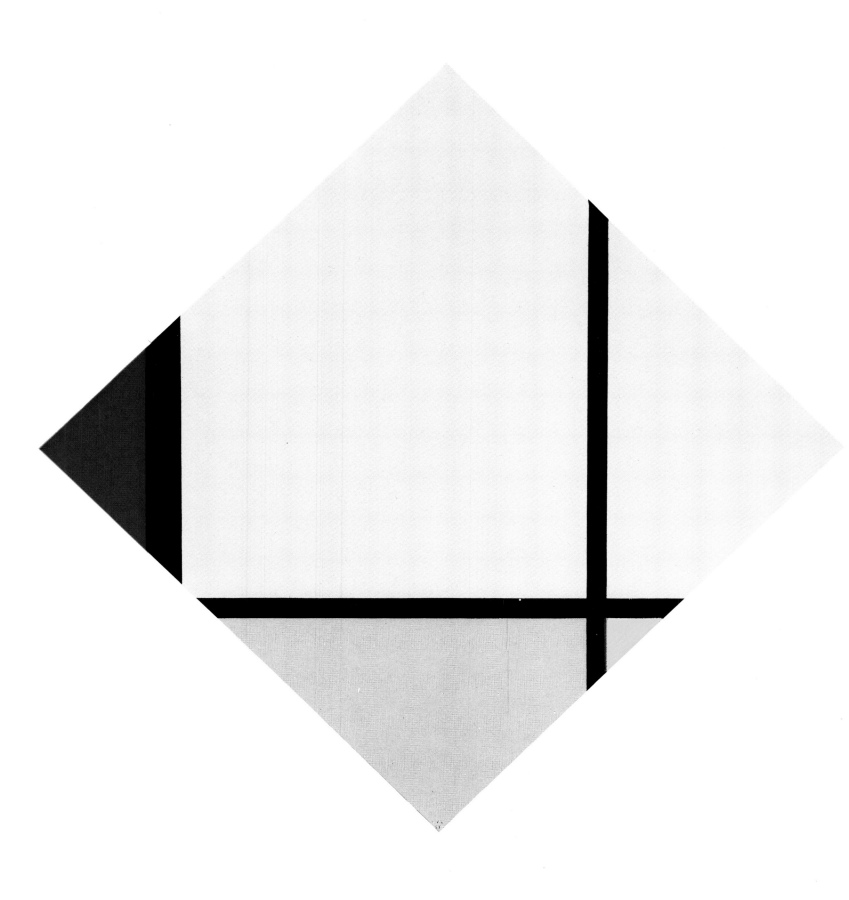

TAV. LII COMPOSIZIONE I CON BLU E GIALLO Zurigo, Kunsthaus [n. 357]
Assieme (diagonale cm. 112).

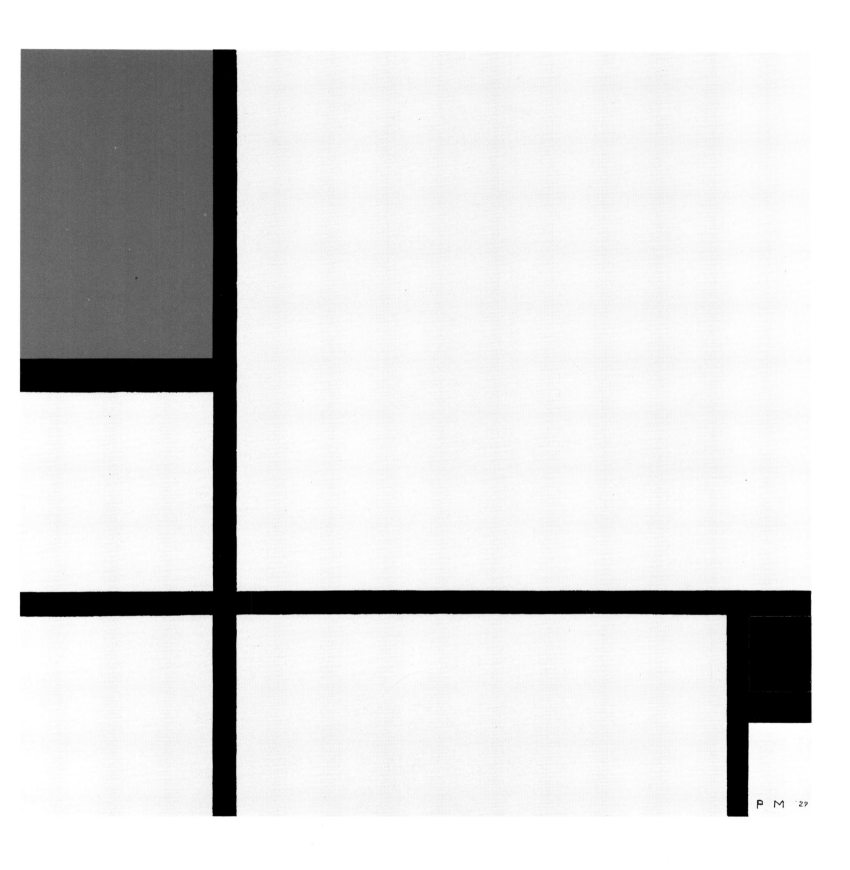

TAV. LIII   COMPOSIZIONE   Basilea, Kunstmuseum   [n. 387]
Assieme (cm. 52×52).

TAV. LV   COMPOSIZIONE CON LINEE GIALLE L'Aia, Gemeentemuseum [n. 410]
Assieme (diagonale cm. 113).

TAV. LVI   COMPOSIZIONE IN GRIGIO-ROSSO Chicago, Art Institute [n. 424]
Assieme (cm. 55×57).

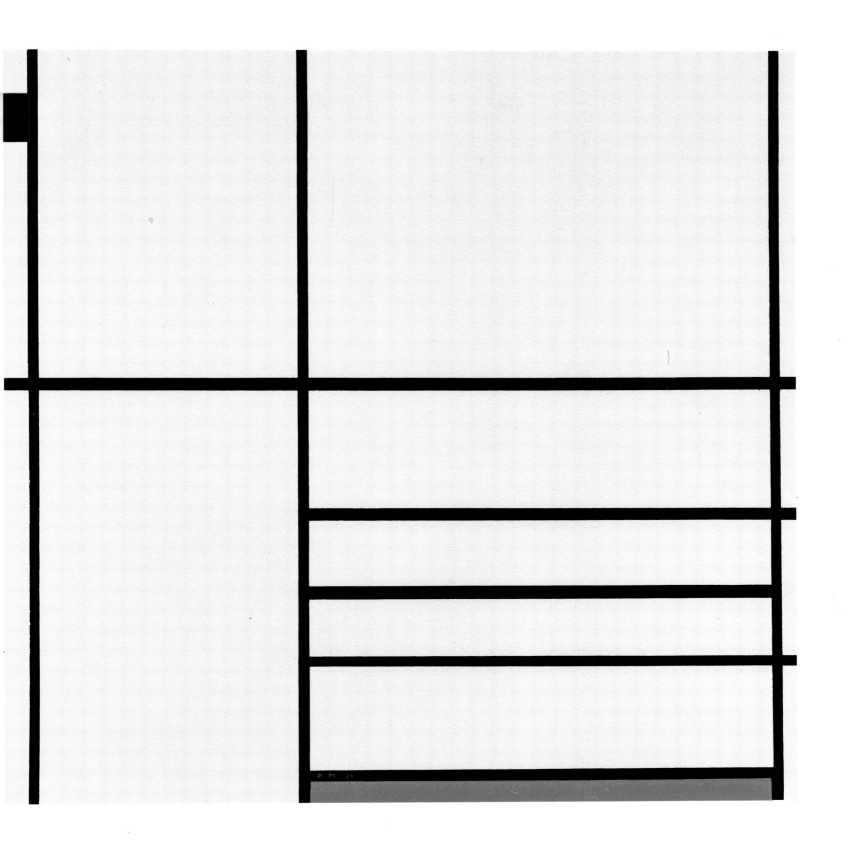

TAV. LVII   COMPOSIZIONE CON ROSSO E NERO New York, Museum of Modern Art [n. 430]
Assieme (cm. 102×104,1).

COMPOSIZIONE CON BLU E BIANCO Düsseldorf, Kunstsammlung Nordrhein-Westfalen [n. 434]
Assieme (121,3×59).

TAV. LIX   COMPOSIZIONE CON GIALLO E ROSSO   Los Angeles, County Museum of Art   [n. 441]
Assieme (cm. 80×62).

TAV. LX COMPOSIZIONE ASTRATTA Beverly Hills, Schreiber [n. 445]
Assieme (cm. 44,8×38,1).

AV. LXI COMPOSIZIONE CON ROSSO, GIALLO E BLU Londra, Tate Gallery [n. 453]
Assieme (cm. 72×69).

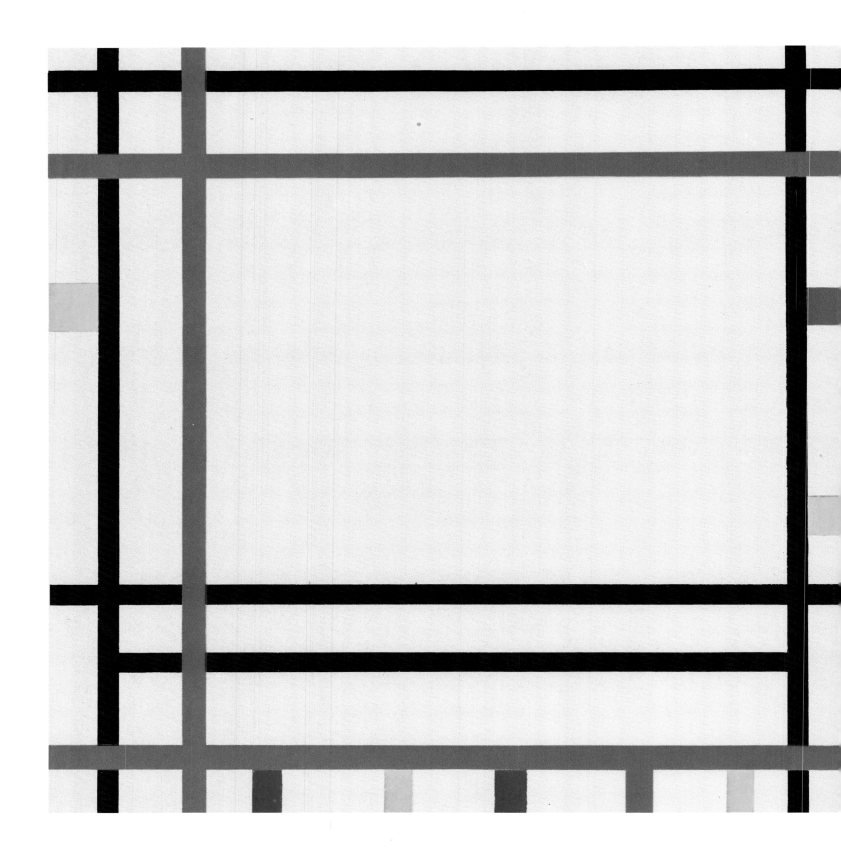

TAV. LXII NEW YORK New York, Diamond [n. 457]
Assieme (cm. 95,2×92).

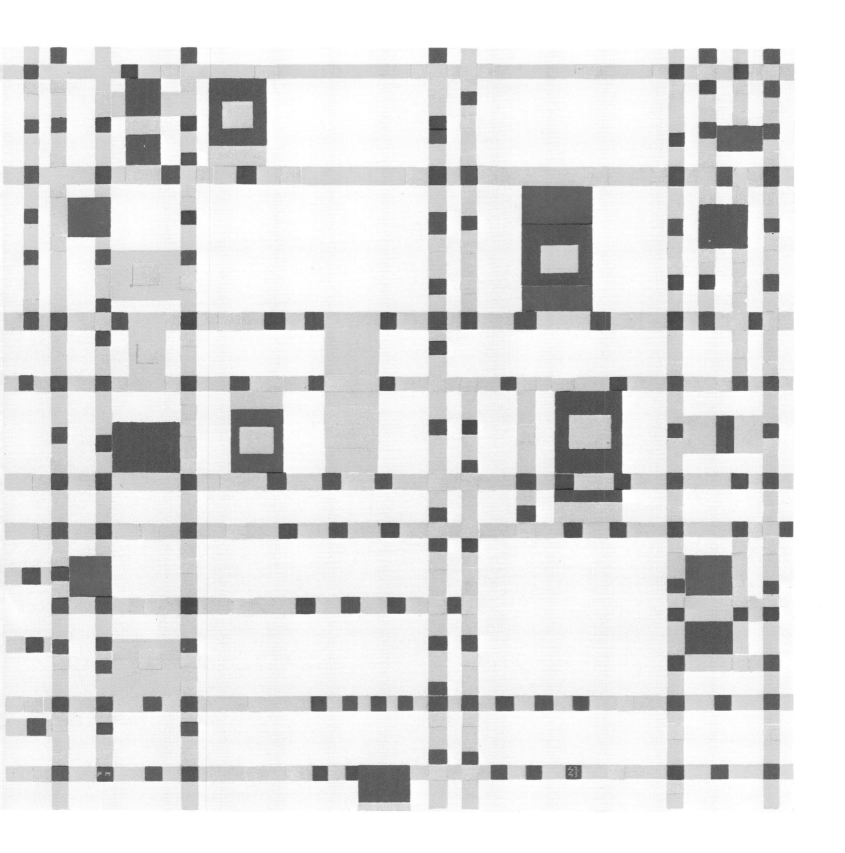

AV. LXIII   'BROADWAY BOOGIE-WOOGIE' New York, Museum of Modern Art   [n. 464]
             Assieme (cm. 127 × 127).

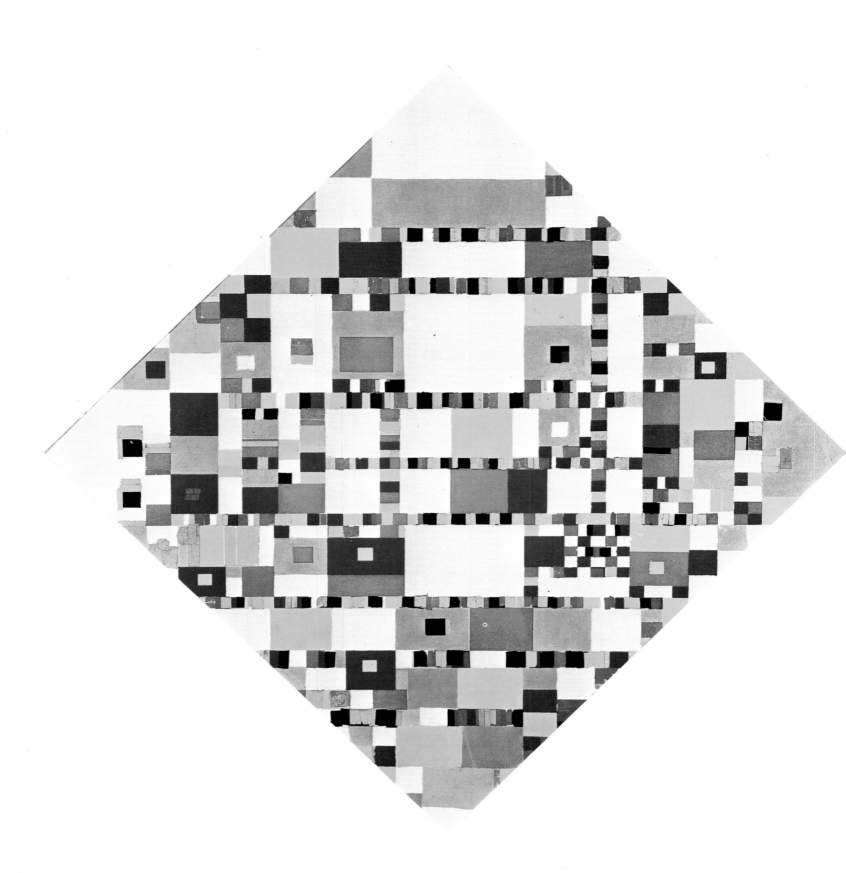

Analisi
dell'opera pittorica di
Mondrian

Convenzioni
e abbreviazioni

Allo scopo di rendere immediatamente palesi gli elementi essenziali di ciascuna opera, l'intestazione di ogni 'scheda' del *Catalogo* (a partire da pag. 85) reca — dopo il numero del dipinto (che segue il più attendibile ordine cronologico, e al quale si fa riferimento ogni qualvolta l'opera venga citata nel corso del volume), dopo il titolo e dopo l'eventuale ubicazione — una serie di abbreviazioni, riferite: alla tecnica; al supporto; alle dimensioni (fornite in centimetri: prima l'altezza, poi la base); all'eventuale presenza di firma e/o di data; quando tali dati non possano essere indicati con certezza, ma solo in via approssimativa, sono fatti seguire da 'circa' (c) o da un punto interrogativo (?). Tutti gli elementi forniti registrano l'opinione prevalente nella moderna storiografia d'arte: ogni discordanza di rilievo e ogni ulteriore precisazione vengono dichiarate nel testo.

Tecnica

acq: acquerello
cb: carboncino
gz: guazzo
mt: matita
ol: olio
pst: pastello

Supporto

crt: carta o cartone
tl: tela
tv: tavola

Dati accessori

d: opera datata
f: opera firmata

Bibliografia
essenziale

SCRITTI DI MONDRIAN. De nieuwe beelding in de schilderkunst, "De Stijl", I, 1917-18; *Dialoog over de nieuwe beelding (Zanger en schilder)*, "De Stijl", II, 1919; *Natuurlijke en abstracte realiteit*, "De Stijl", II, 1919 (riedito come appendice alla monografia di M. Seuphor, *Piet Mondrian*, 1956: *Réalité naturelle et réalité abstraite*); *Le néo-plasticisme: principe général de l'équivalence plastique*, Paris 1920; *De groote boulevards*, "De Nieuwe Amsterdammer", 27 marzo 1920 e 3 aprile 1920; *De 'bruiteurs futuristes italiens' en 'het nieuwe' in demuziek*, "De Stijl", IV, 1921; *Het neo-plasticisme (de Nieuwe Beelding) en zijn (hare) realiseering in de muziek; De realiseering van het neo-plasticisme in verre toekomst en in de huidige architectuur*, "De Stijl", V, 1922; *Moet de schilderkunst minderwaardig zijn aan de bouwkunst?*, "De Stijl", VI, 1923; *Les arts et la beauté de notre ambiance tangible*, "Manomètre", 1924; *Geen axioma maar beeldend principe*, "De Stijl", VI, 1924; *De huik naar den wind*, "De Stijl", VI, 1924; *L'architecture future néoplasticienne*, "L'architecture vivante", III, 1925; *L'expression plastique nouvelle dans la peinture*, "Cahiers d'art", 7, 1926; *Neo-plasticisme: de woning - de straat - de stad*, "Internationale revue i 10", I, 1927; *De jazz en de Neo-plastiek*, "Internationale revue i 10", I, 1927; *Ne pas s'occuper de la forme ...*, "Cercle et Carré", 1, 1930; *L'art réaliste et l'art superréaliste; la morphoplastique et la néoplastique*, "Cercle et Carré", 2, 1930; *De l'art abstrait; réponse de Piet Mondrian*, "Cahiers d'art", VI, 1931; *La néo-plastique*, "Abstraction, Création, Art non figuratif", 1, 1932; *La vraie valeur des oppositions* (1934), "Cahiers d'art", 22, 1947; *Plastic art and pure plastic art*, London 1937; *Liberation from oppression in art and life* (1941), in *Plastic art and pure plastic art*, New York 1945; *Towards the true vision of reality*, New York 1942; *Pure plastic art*, New York 1942; *Abstract art*, "Art of this century", 1942; *A new realism. Lecture to Abstract Artists* (1942), in *Plastic art and pure plastic art*, New York 1945; *Plastic art and pure plastic art (1937) and other essays (1941-1943)*, New York 1945, 1951[3].

CONTRIBUTI CRITICI. G. APOLLINAIRE, *A travers le Salon des Indépendants*, "Montjoie", 3, 1913; C. VON WIEGAND, *The meaning of Mondrian*, "Journal of aesthetics and art criticism", II, 1943; J. J. SWEENEY, *Piet Mondrian*, "Museum of Modern Art Bulletin", XII, 1945 (riedito con *An interview with Mondrian*, 1948); M. SEUPHOR, *L'art abstrait, ses origines, ses premiers maitres*, Paris 1949, 1950[2]; M. SEUPHOR, *Piet Mondrian et les origines du néo-plasticisme*, "Art d'aujourd'hui", dicembre 1949; M. SEUPHOR, *Suprématisme et néo-plasticisme*, "Art d'aujourd'hui", marzo 1950; J.J. SWEENEY, *Mondrian, the dutch and de Stijl*, "Art News", estate 1951; B. ZEVI, *Poetica dell'architettura neoplastica*, Milano 1953; H. L. C. JAFFÉ, *De Stijl*, "Art d'aujourd'hui", maggio-giugno 1954; M. BILL, Introduzione al catalogo della mostra "Mondrian" alla Kunsthaus di Zurigo, 1955; H. L. C. JAFFÉ, Introduzione al catalogo della mostra "Mondrian" alla Whitechapel Gallery di Londra, 1955; L. J. F. WIJSENBEEK-M. SEUPHOR, Introduzione al catalogo della mostra "Mondrian" al Gemeentemuseum dell'Aia, 1955; H. L. C. JAFFÉ, *De Stijl, 1917-1931*, Amsterdam 1956; O. MORISANI, *L'astrattismo di Piet Mondrian*, Venezia 1956; W. SANDBERG, Presentazione della sezione "Mondrian" alla Biennale di Venezia, 1956; M. SEUPHOR, *Piet Mondrian. Sa vie, son oeuvre*, Paris 1956, ed. rivista e accresciuta 1970; G. CARANDENTE, Catalogo della mostra "Piet Mondrian" (presentazione di P. Bucarelli; introduzione di J. J. Oud) a Roma e Milano, 1956-57; D. GIOSEFFI, *La falsa preistoria di Piet Mondrian e le origini del neoplasticismo*, Trieste 1957; M. S. JAMES, *The realism behind Mondrian's geometry*, "Art News", dicembre 1957; M. SEUPHOR, *Dictionnaire de la peinture abstraite*, Paris 1957; M. SEUPHOR, *Mondrian* (introduzione all'album di serigrafie pubblicato dalla galleria Denise René), Paris 1957; S. HUNTER, *Mondrian*, London 1958; A. B. TERPSTRA, *Moderne Kunst in Nederland 1900-1914*, Utrecht 1958-59; M. BUTOR, *Le carré et son habitant*, "Nouvelle revue française", gennaio-febbraio 1961; C. BLOK, *Mondriaan's vroege werk*, "Museumjournaal", agosto 1962; F. MENNA, *Mondrian: cultura e poesia*, Roma 1962; C.L. RAGGHIANTI, *Mondrian e l'arte del XX secolo*, Milano 1962; L. J. F. WIJSENBEEK-J. J. P. OUD, *Mondrian*, Zeist 1962; M. S. JAMES, *Mondrian and the Dutch Symbolists*, "The Art Journal", XXIII, 1963-64; G. C. ARGAN, *Salvezza e caduta nell'arte moderna*, Milano 1964; G. SCHMIDT, *Mondrian today*, Basel 1964-65; M. CALVESI, *Le due avanguardie*, Milano 1966; M. DE MICHELI, *Le avanguardie artistiche del Novecento*, Milano 1966; M. SEUPHOR, *Mondrian et la pensée de Schoenmaekers*, "Werk", 53, 1966; R. P. WELSH, Catalogo della mostra "Piet Mondrian" a Toronto, Filadelfia e L'Aia, 1966; A. BUSIGNANI, *Mondrian*, Firenze 1968; F. ELGAR, *Mondrian*, New York, 1968; W. HAFTMANN-L. J. F. WIJSENBEEK, Catalogo della mostra "Piet Mondrian" alla Nationalgalerie di Berlino, 1968; L. M. JOOSTEN, *Documentaties over Mondrian*, "Museumjournaal", 13, 1968; R. P. WELSH-J. M. JOOSTEN, *Mondrian's Sketchbooks*, Amsterdam 1968; L. J. F. WIJSENBEEK, *Piet Mondrian*, New York 1968; L. J. F. WIJSENBEEK, Catalogo della collezione Mondrian al Gemeentemuseum dell'Aia, 1968; J. LEYMARIE-M. SEUPHOR-A. BERNE-JOFFROY, Catalogo della mostra "Mondrian" all'Orangerie di Parigi, 1969; I. TOMASSONI, *Piet Mondrian*, Firenze 1969; H. L. C. JAFFÉ, *Piet Mondrian*, New York 1970; Catalogo della mostra centenale "Piet Mondrian, 1872-1944" al Solomon R. Guggenheim Museum di New York, 1971.

Documentazione sull'uomo e l'artista

1872, 7 MARZO. Pieter Cornelis Mondriaan (il cognome venne mutato dall'artista in 'Mondrian' dopo l'arrivo a Parigi) nasce a Amersfoort, presso Utrecht, secondogenito e primo figlio maschio di Pieter Cornelis Mondriaan (1839-1915) — calvinista di stretta osservanza, direttore della scuola primaria calvinista di Amersfoort, appartenente a una modesta ma antica famiglia dell'Aia — e di Johanna Christina de Kok (1839-1905).

1880. In aprile la famiglia Mondriaan (oltre ai genitori, tre figli maschi e una figlia, la maggiore) si trasferisce a Winterswijk, grosso borgo situato sul confine tedesco. Qui nascerà l'ultimo fratello di Piet, Carel. A Winterswijk Piet frequenta la scuola diretta dal padre.

1886-88. Sotto la guida del padre, dotato di un naturale talento per il disegno, ma soprattutto dello zio Frits Mondriaan (1853-1932) — pittore di professione, seguace della scuola dell'Aia (presso la Národní Galerie di Praga è conservato un suo *Idillio nel bosco*)— il quale suole trascorrere l'estate presso il fratello, Piet comincia presto a dipingere. Il padre lo vorrebbe avviare all'insegnamento.

1889. Si prepara da solo, e consegue il diploma per l'insegnamento del disegno nelle scuole primarie; per qualche tempo insegna nella scuola di Winterswijk.

1892. In settembre ottiene il diploma per l'insegnamento del disegno nelle scuole secondarie, ma la sua vocazione non è quella dell'insegnamento: nonostante l'opposizione paterna, egli è fermamente deciso a dedicarsi alla pittura. Affermerà in seguito: "Quando fu chiaro che io volevo consacrare la mia vita all'arte, mio padre tentò di scoraggiarmi. Non aveva il denaro necessario per pagarmi gli studi e voleva che io mi impiegassi. Ma io non rinunciai alle mie ambizioni artistiche, ciò che rattristò molto mio padre" (Seuphor, 1956). All'estate di quest'anno risale la sua amicizia con un vecchio pittore romantico-realista, Braet van Uberfeldt (1807-1894), residente nel villaggio di Doetinchem; costui segue con grande interesse il lavoro del giovane Piet e lo

incoraggia a continuare. Nel novembre lascia Winterswijk per frequentare l'accademia di belle arti di Amsterdam: durante gli anni dell'accademia ritornerà nella casa paterna solo per le vacanze, soprattutto per ritrovarsi con il più giovane dei fratelli, Carel, cui fu sempre molto legato. Si iscrive ai corsi di pittura diretti da Auguste Allebé, artista di buona fama, molto stimato da Mondrian: frequenterà per tre anni con brillanti risultati scolastici. Per mantenersi dà lezioni, esegue copie di antichi maestri, e disegni per testi scolastici di botanica. Dopo essere stato per qualche tempo in pensione presso il libraio Worms, ad Amsterdam, nella Kalverstraat, si stabilisce in Rijndijk n. 128, a Watergraafsmeer, un sobborgo di Amsterdam, in direzione di Duivendrecht. Dà la sua adesione al gruppo Kunstliefde di Utrecht.

1895. Si iscrive ai corsi serali dell'accademia che seguirà per due anni. Diviene membro della società di artisti Arti et Amicitiae in Amsterdam (fino al 1910-11). Oltre che soggetti accademici comincia a dipingere *en plein air* nei dintorni di Amsterdam, sulle rive dell'Amstel, del Vecht o del Gein.

1897. Partecipa a una mostra organizzata da Arti et Amicitiae. Prende alloggio in Stadhouderhade n. 5, vicino al Rijksmuseum.

1898. Si unisce alla gilda di San Luca ad Amsterdam e partecipa a una mostra da essa organizzata. Cambia casa nuovamente, stabilendosi in Albert Cuypstraat n. 158, dove rimarrà per quattro anni. Trascorre una breve vacanza in Cornovaglia ospite di una sua allieva, Miss Crato, insegnante di lingua inglese ad Amsterdam.

1899. Inizia la grande amicizia con Albert van den Briel, di nove anni più giovane, studente, poi ingegnere forestale. Secondo la testimonianza di costui (Seuphor, 1956), questi sono per Mondrian anni molto duri, pieni di difficoltà di ogni genere e di disillusioni, segnati da crisi di carattere religioso (Seuphor riferisce che l'artista, di cui bisogna ricordare l'educazione strettamente calvinista, aveva pensato per un certo periodo, prima di iscriversi all'accademia, di divenire predicatore). Il fondo essenzialmente mistico del suo temperamento e la sua stessa formazione spirituale lo portano alla scoperta della teosofia. I due amici leggono e discutono testi teosofici e Mondrian si entusiasma particolarmente per *Les grands initiés* di Edouard Schuré, edito nel 1889.

1900-03. Dipinge quasi esclusivamente paesaggi della cam-

pagna nei dintorni di Amsterdam, soprattutto sulle rive del Gein.

1901. Accompagna in un viaggio in Spagna il pittore Simon Maris (1873-1935), figlio del pittore Willem Maris (1844-1910), della scuola dell'Aia; ma questa esperienza non lascia nessuna traccia sulla sua pittura. "La luce era troppo differente da quella d'Olanda. Trovava tristi le corride, poco attraente la gente" (Seuphor, 1956). Circa in questo periodo si lega d'amicizia anche con il pittore Jan Sluyters.

1903. In agosto, si reca con Albert van den Briel nel Brabante, a Uden e a Nistlerode. Il paesaggio e la semplicità dei costumi popolari lo entusiasmano; decide di stabilirsi in quelle località: ritornato ad Amsterdam, comincia subito a preparare la partenza.

1904. In gennaio riesce finalmente a partire; a Uden affitta metà di una piccola casa in St. Janstraat n. 29. L'amico van den Briel trascorre con lui i periodi liberi dal lavoro. Mondrian conduce la stessa vita semplice dei contadini. Con l'amico passa lunghe ore in discussioni su argomenti teosofici. Dipinge in completa solitudine, senza alcun contatto con gli ambienti artistici olandesi.

1905-08. Ritorna ad Amsterdam, dove affitta un *atelier* in Rembrandtplein n. 10, e, dopo l'anno di isolamento a Uden, riallaccia i rapporti con gli amici pittori, tra cui il già citato Simon Maris, e Albert Hulshoff Pol (1883-1957).

1907. In compagnia di Albert Hulshoff Pol trascorre un lungo periodo a Oele, piccolo villaggio nella zona chiamata Twente della provincia di Ove-

rijssel, dove improvvisa uno studio nella casa del maestro del villaggio. Ad Amsterdam, in una grande esposizione collettiva, vede opere *fauves* di van Dongen e di Sluyters, reduce da un soggiorno a Parigi.

1908. È l'anno del primo soggiorno a Domburg, sull'isola di Walcheren, in Zelanda. Vi giunge il 12 settembre. Gli è compagno Cornelis Spoor, pittore, allievo di Allebé e di Breitner, seguace delle dottrine teosofiche. A Domburg, Mondrian entra in contatto tra Jan Toorop e il gruppo degli artisti che lavorano con lui. Probabilmente per l'influenza dell'opera di Toorop, la tavolozza di Mondrian si fa più chiara, egli sperimenta la tecnica divisionista, compaiono nei suoi dipinti temi simbolisti, e si fa sentire la suggestione dell'espressionismo nordico di Munch.

1909. In gennaio Mondrian, Spoor e Sluyters espongono ad Amsterdam, allo Stedelijk Museum. Mondrian presenta sicuramente *Nuvola rossa* (Catalogo, n. 176), *Girasole morente* (n. 178), *Bosco a Oele* (n. 200), *Mulino al sole* (n. 201). I giudizi dei critici ufficiali sono scoraggianti. Tra gli altri Frederik van Eeden (Seuphor, 1956), grande giornalista olandese contemporaneo scrive, in un articolo intitolato "Salute e decadenza nell'arte": "In Mondrian la caduta è tragica e terrificante, le sue doti naturali erano le più grandi, così la sua caduta è la più profonda. Nelle sue prime opere vi sono dei motivi veramente magnifici. La sua visione della natura è grandiosa e nobile, il colore meravigliosamente bello [...]. Chi, poi, lo ha spinto al delirio? Probabilmente Van Gogh. Quello che è evidente è che, liberatosi dai vincoli dell'accademia, ha perduto completamen-

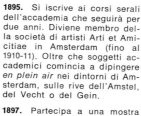

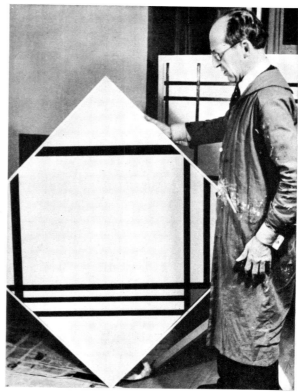

(A sinistra, dall'alto) Piet Mondrian in fotografie del 1899, 1908, 1912 e 1937. (A destra) L'artista accanto a una delle ultime opere, la Losanga con angolo rosso del 1943 (Catalogo, n. 465).

te l'equilibrio e si è messo a scarabocchiare nella maniera più abominevole". Israël Quiérido (Seuphor, 1956) scrive: "Mondrian è un pittore maledetto e degenerato". Giudizi favorevoli giungono da qualche critico minore. Il critico d'arte e pittore Conrad Kickert che dal 1907 segue e incoraggia Mondrian, scrive una recensione di elogio e di consenso su "De Telegraaf". Il 25 maggio Mondrian diviene membro della società olandese di teosofia. Conserverà per tutta la vita il documento comprovante questa sua adesione. Ritorna a Domburg in giugno, e vi rimane fino all'inizio dell'anno successivo. "Una stupefacente diversità di tecniche", scrive Seuphor, "regna nella pittura di Mondrian del periodo zelandese. Alcune sue tele, fatte di qualche tocco appena, s'illu-

dam il Moderne Kunstkring (Circolo d'arte moderna), con lo scopo di organizzare ogni anno mostre internazionali d'arte. Mondrian, Sluyters e Toorop compongono, insieme con Kickert, il comitato direttivo.

1911. Invia per la prima volta una tela (*Duna VI* [*Catalogo*, n. 229], che viene esposta col titolo *Soleil* e contrassegnata dal n. 4342) al Salon des Indépendents di primavera a Parigi. In estate partecipa a una mostra collettiva a Domburg in cui sono presentate opere del gruppo di pittori della cerchia di Toorop. In ottobre presso lo Stedelijk Museum di Amsterdam si tiene la prima esposizione organizzata dal Kunstkring: oltre a una sezione di omaggio a Cézanne (28 opere del maestro), vi sono riunite opere di Braque, Picasso,

guin e a Le Fauconnier, con opere di Archipenko, Braque, Derain, van Dongen, Picasso, Léger, Metzinger; Mondrian invia otto opere. Nel catalogo il suo nome appare scritto con una sola "a". "Si può dire che a Parigi, nel 1912, nel momento stesso in cui egli cambia l'ortografia del suo nome comincia la vita del grande pittore" scrive Seuphor (1956). È l'inizio del periodo cosiddetto cubista. Frutto di queste prime meditazioni sul cubismo sono la prima *Natura morta con vaso di zenzero* (Catalogo, n. 246), e quattro tele della collezione Slijper: *Figura femminile*, *Paesaggio con alberi*, *Paesaggio* e *Nudo* (n. 251-154). Lavora abbastanza isolato; rari anche gli incontri con il gruppo di pittori olandesi a Parigi, fra cui frequenta soprattutto Kees van Dongen e Peter Alma. Verso la

ottenuta coi predominio delle linee rette danno al cubismo di questi anni una nobiltà che nelle opere di Mondrian va acquistando un accento ancora più penetrante, quasi mistico. Il soggetto-pretesto (alberi, impalcature) è presto abbandonato. Qui il cubismo esprime la sua stessa essenza in opere di un vigore temperato, d'una calma potenza, che sono tra le prime dell'arte astratta" (Seuphor, 1956).

1914. Chiamato in giugno al capezzale del padre malato, ritorna in Olanda, ad Arnhem. La dichiarazione di guerra lo sorprende in patria: dopo l'invasione del Belgio, le comunicazioni con Parigi sono bloccate e Mondrian è costretto a rimanere in Olanda. In un primo tempo egli pensa di raggiungere per mare l'Inghilterra e, di lì, recarsi a Parigi.

oi reality, 1942). È il momento della sequenza dei grandi disegni del mare (per esempio *Molo e oceano*, del Museum of Modern Art di New York) in cui predominano i segni + e — ('più' e 'meno'): le forme sono tradotte in un ritmo di brevi linee verticali e orizzontali, talvolta intersecantisi a formare croci. "Nella sua ricerca di una vera visione della realtà, dell'essenziale, Mondrian ha liberato le sue impressioni da tutto ciò che è fortuito a tal punto che rimane soltanto una indefinita memoria della grandezza della natura umana" (Jaffé, 1970).

1915. Dopo un soggiorno ad Amsterdam, trascorre lunghi periodi a Laren, dove lavora un gruppo di artisti. Qui affitta in un primo tempo una camera nella Pijlsteeg, stabilendosi in seguito presso l'amico Jakob van Domselaer. Dipinge in un piccolo *atelier* a mezza strada tra Laren e Blaricum. Ogni domenica si reca a pranzo a Blaricum nella casa di Salomon Slijper, cui si lega di grande amicizia e che diverrà il maggiore collezionista delle opere di Mondrian. "Avevo spesso molta gente alla fattoria", racconta M.me Slijper a M. Seuphor, "soprattutto giovani. A Piet piaceva ballare con una ragazza carina, ma non si mescolava mai al chiasso e alla confusione. Spariva e lo ritrovavo quasi sempre nel retrocucina, tranquillamente seduto in un angolo. Veniva a pranzo quasi tutte le domeniche e sempre portava qualcosa come ringraziamento, un disegno, uno schizzo" (Seuphor, 1956). Partecipa a mostre collettive a Rotterdam, Groningen e allo Stedelijk Museum di Amsterdam. In ottobre, un giornale olandese ("De Eenheid") reca un articolo di Theo van Doesburg, in cui sono espressi giudizi estremamente positivi sulle opere di Mondrian. Muore il padre dell'artista ad Arnhem.

1916. Conosce all'Aia Bart van der Leck; lo ritrova a Laren e lo frequenta assiduamente, discutendo con lui di pittura. Mondrian stesso, in scritti posteriori, affermerà di aver subito l'influenza di van der Leck "che benché ancora figurativo dipingeva già con piani uniti e con colori puri. La mia tecnica più o meno cubista, dunque ancora più o meno pittorica subì l'influenza della sua tecnica esatta" (Seuphor, 1956). Entra in contatto con M. H. J. Schoenmaekers, già prete cattolico, strana figura di mistico e filosofo, autore di due opere *Beginselen der Beeldende Wiskunde* (I rudimenti della matematica figurativa) del 1915 e *Het Nieuwe Wereldbeeld* (La nuova immagine del mondo) del 1916, in cui si espone "una filosofia in sostanza neoplatonica, che guarda alla natura come ad una apparenza illusoria dietro la quale si cela la verità assoluta" (Menna, 1962). La lettura di questi testi e le assidue conversazioni con il teosofo influenzano non poco il pensiero di Mondrian sull'arte. In questo periodo egli entra in contatto con Theo van Doesburg, il quale ha in progetto di fondare una rivista d'arte. In un primo tempo Mondrian è dubbioso, pensa che i tempi non siano maturi.

(A sinistra) Autoritratti a carboncino, conservati al Gemeentemuseum dell'Aia, del 1912 (sopra) e 1913 (sotto). (Al centro, in alto) Mondrian ritratto nel 1915 da M. Elou-Drabbe e da Theo van Doesburg (a destra).

minano di un sole diffuso e sono dei veri bagni di luce (la serie del mare e delle dune), altre sono variazioni su un tema reso con tecniche differenti (la torre di Westkapelle, l'albero), altre ancora sono delicati studi di un artista amante della semplicità (i fiori). Talvolta anche la teosofia riprende i suoi diritti, unita all'influsso dello stilismo simbolista di Toorop".

1910. Partecipa all'esposizione dei luministi tenuta in maggio allo Stedelijk Museum: di nuovo critiche violentemente negative ("L'opera di un malato, di un anormale" scrive N. H. Wolf) si alternano a giudizi lusinghieri (articolo firmato U. d. U. in "Schager Courant", 21 maggio 1910). Da agosto alla fine di ottobre Mondrian è di nuovo a Domburg. Continua a dipingere ripetendo in serie con tecniche diverse temi costanti (dune, albero, faro di Westkapelle). In dicembre Conrad Kickert fonda ad Amster-

Derain, Dufy, Redon, Vlaminck. Mondrian è presente con sei opere, e, quasi certamente, vede per la prima volta dal vivo opere cubiste. Alla fine dell'anno decide di trasferirsi a Parigi. Conrad Kickert, legato fin dal 1910 agli ambienti cubisti parigini, lo incoraggia e lo aiuta anche materialmente, mettendogli a disposizione il proprio *atelier* a Parigi, nelle vicinanze della Gare Montparnasse. Dal registro di stato civile di Amsterdam (Seuphor, 1956) risulta che Mondrian lascia ufficialmente la propria residenza in questa città il 20 dicembre.

1912. Probabilmente dai primi giorni dell'anno Mondrian è a Parigi, ma nel registro dell'anagrafe risulta come ivi residente solo a partire da maggio, in rue du Départ n. 26. In agosto compie un breve viaggio a Domburg. In ottobre ha luogo la seconda mostra organizzata dal Kunstkring ad Amsterdam, un omaggio a Gau-

fine dell'anno stringe amicizia con un giovane compositore olandese, Jakob van Domselaer, con il quale prende lezioni di francese.

1913. Partecipa al XXIX Salon des Indépendents: Apollinaire, nella recensione della mostra ("Montjoie" 18 marzo 1913; si veda a pag. 11, si esprime in termini elogiativi. Nel novembre Mondrian invia alla terza esposizione organizzata ad Amsterdam dal Kunstkring la *Composizione ovale con alberi* (Catalogo, n. 269), che viene pubblicata sulla rivista "De Kunst", inoltre la *Composizione n. 7* (n. 270) e 'Tableau' I (n. 273); nello stesso anno Mondrian partecipa al primo Herbstsalon organizzato da Herwarth Walden a Berlino. "Mondrian è alla ricerca di uno stile, di un nuovo linguaggio in pittura. La semplificazione cubista lo mette sulla via. La sobrietà della tavolozza ottenuta attraverso i toni grigi e la sobrietà della forma

Sconsigliato dai familiari dall'intraprendere un viaggio che si prospetta pericoloso, decide di non ritornare in Francia se non dopo quattro anni e mezzo, a guerra finita. Si reca a Domburg, dove ritrova molti amici, tra cui Toorop e suo figlio Charley, Jacoba van Heemskerck e sua sorella, la signorina de Sitter, la signorina Tak van Poortvliet, allora celebre collezionista, la signora Elout-Drabbe. Il mare diventa il tema principale della sua ricerca. "Vedendo il mare, il cielo e le stelle, io li rappresentavo attraverso una molteplicità di croci. Ero impressionato dalla grandiosità della natura e tentavo di esprimere l'espansione, il riposo, l'unità. Per questa ragione forse un critico d'arte ha chiamato uno di questi dipinti *Natale*. Ma io sentivo di lavorare ancora come un impressionista e di esprimere una particolare sensazione e non la realtà come è" (*Towards the true vision*

Tra il 1916 e il 1917 compone le ultime tele della serie a piccoli tratti orizzontali e verticali, estremo sviluppo del tema del mare e delle impalcature: la *Composizione* della Sidney Janis Gallery di New York (*Catalogo*, n. 290), la *Composizione 1916* al Solomon Guggenheim Museum di New York (n. 291) e la *Composizione di linee ('più' e 'meno')* del museo Kröller-Müller di Otterlo (n. 296). Invia quattro composizioni alla mostra Hollandsche Kunstenaarskring.

1917. Dipinge le prime composizioni con rettangoli di colore puro su fondo bianco: *Composizione con colori B* (*Catalogo*, n. 297) e *Composizione con piani di colore n. 3* (n. 299). Dapprima i rettangoli sono mescolati a brevi tratti neri talvolta sovrapposti ai rettangoli stessi, in un secondo tempo appaiono i rettangoli soli. "L'intenzione del cubismo, almeno all'inizio, era di esprimere il volume. Così era mantenuto lo spazio tridimensionale, vale a dire lo spazio naturale. Il cubismo restava dunque un modo d'espressione fondamentalmente naturalista. Questa volontà dei cubisti di rappresentare dei volumi nello spazio era contraria alla mia concezione della astrazione che è fondata sulla convinzione che lo spazio debba essere distrutto. È così, per giungere alla distruzione del volume, che io pervenni all'uso dei piani" affermerà Mondrian (intervista rilasciata a J. J. Sweeney, "The Museum of Modern Art Bulletin" 1948). In ottobre esce il primo numero di "De Stijl", in cui è pubblicata la parte iniziale di un lungo saggio di Mondrian *De nieuwe beelding in de schilderkunst* (La nuova plastica nella pittura). Insieme con van Doesburg e Mondrian, fanno parte del gruppo che opera nella rivista Bart van der Leck, il pittore di origine ungherese Vilmos Huszar, il belga Georges Vantongerloo, il poeta Antonie Kok, infine gli architetti J. J. P. Oud, Robert van't Hoff e Jan Wils. Van der Leck, quasi subito in disaccordo con van Doesburg, lascia il gruppo dopo l'uscita del primo numero della rivista.

1918. Mondrian firma il manifesto di "De Stijl" pubblicato in novembre sul secondo numero della rivista. Continua a scrivere saggi e articoli teorici.

1919. Dipinge le prime composizioni a losanga e due grandi tele divise in piccoli quadri regolari, *Scacchiera con colori chiari* (*Catalogo*, n. 312) e *Scacchiera con colori scuri* (n. 313). Partecipa a una mostra all'Hollandsche Kunstenaarskring, tenuta in febbraio-marzo. Ritorna a Parigi probabilmente in luglio. Pochi mesi dopo è costretto a trasferirsi in uno studio a pianterreno in rue de Coulmiers, non lontano dalla Porte d'Orléans, a causa del ritorno di Kickert con la moglie in rue du Départ. Inizia la pubblicazione in "De Stijl" del dialogo *Natuurlijke en abstracte realiteit* (Realtà naturale e realtà astratta), che continuerà per undici numeri.

1920. Pubblica a sue spese *Le néo-plasticisme*, opuscolo di quattordici pagine per le edizioni della Galerie de l'Effort Moderne diretta da Léonce Rosenberg, con lo scopo di divulgare le sue idee in Francia. Il termine francese *néo-plasticisme*, come il tedesco *neue Gestaltung*, sono la traduzione dell'espressione olandese *nieuwe beelding*, che, usata da Mondrian nei suoi articoli in "De Stijl", si deve in realtà a Schoenmaekers. Nelle tele di questo periodo "la posizione delle linee ridiventa asimmetrica. Nello stesso tempo le tele tradiscono qualche esitazione nell'impiego dei colori: vi si trovano dei gialli-verdi, dei blu lattiginosi, degli arancioni indecisi" (Seuphor, 1956).

1921. Lascia l'*atelier* di rue de Coulmiers e ritorna in rue du Départ n. 26, affittando uno studio al terzo piano. In settembre, riceve la visita dell'artista belga Josef Peeters, che in seguito tenterà una derivazione personale del neoplasticismo che chiamerà "arte di comunità".

1922. Partecipa alla mostra "Du cubisme à une renaissance plastique", alla Galerie de l'Effort Moderne di Léonce Rosenberg. In occasione del suo cinquantesimo compleanno, gli amici Peter Alma, J.J.P. Oud, S. B. Slijper organizzano una mostra retrospettiva delle sue opere allo Stedelijk Museum di Amsterdam. Le composizioni esposte sono cinquantasette: trentasei provengono dalla collezione Slijper. Due opere neoplastiche del 1921 sono in vendita al prezzo di 1000 franchi, altre due astratte al prezzo di 800 franchi. "Mondrian sembra aver considerato questo l'anno cruciale nella sua carriera. Soltanto allora egli introdusse i colori fondamentali relativamente puri e cambiò il fondo fino allora su variazioni di blubianco con un bianco sempre più brillante a linee nere più nette che suddividono la superficie in rettangoli di varie dimensioni e isolano i piani di colore" (Seuphor, 1956).

1923. In aprile conosce Michel Seuphor, il suo primo biografo. In novembre Léonce Rosenberg allestisce nella sua galleria una mostra del gruppo "De Stijl" e promette a Mondrian, già da qualche anno in difficoltà economiche, l'acquisto di sei tele. Ma la mostra non ha successo, al punto che Mondrian, avvilito, pensa di abbandonare la pittura.

1924. Su "De Stijl" (n. 6-7) appare l'ultimo articolo di Mondrian, che cessa la sua collaborazione alla rivista, non condividendo le nuove idee di van Doesburg (l'elementarismo, che egli definisce un tradimento del neoplasticismo). "Dopo la tua correzione arbitraria del neoplasticismo", gli scrive (Seuphor, 1956), "ogni collaborazione da parte mia è impossibile. Mi rincresce di non poter impedire la pubblicazione su questo numero di 'De Stijl' di fotografie e articoli miei. Peraltro senza rancore".

1925. Nelle edizioni della Bauhaus viene pubblicata sotto il titolo di *Die neue Gestaltung*, una traduzione tedesca dell'opuscolo di Mondrian del 1920, cui sono uniti alcuni articoli pubblicati su "De Stijl" e altre riviste. Espone a Dresda, Rotterdam e in mostre collettive a Parigi. In novembre invia due opere alla mostra "L'art d'aujourd'hui" al Syndicat des Antiquaires a Parigi. Nelle composizioni di quest'anno le linee appaiono di diverso spessore.

1926. Entra in contatto con Katherine S. Dreier, la quale acquista una grande tela a losanga che verrà esposta a Brooklyn nello stesso anno alla mostra internazionale della Société Anonyme, organizzata dalla Dreier. Quest'ultima, nel catalogo della mostra ha il coraggio di scrivere: "L'Olanda ha prodotto tre grandi pittori che, pur essendo un'espressione logica del loro paese, si sono elevati al di sopra di esso per il vigore della loro personalità. Il primo fu Rembrandt, il secondo van Gogh, il terzo è Mondrian". Dipinge la prima tela a losanga senza colore, la *Composizione in bianco e nero* (*Catalogo*, n. 364). In un piccolo saggio destinato alla rivista "Vouloir", che non la pubblicherà, enuncia i principi fondamentali del neoplasticismo. Progetta la scenografia di *L'éphémère est éternel* di Michel Seuphor (si veda al n. 361).

1927. Due opere neoplastiche di Mondrian sono esposte nel "gabinetto degli astratti" progettato da El Lissitzky nel Landesmuseum di Hannover, distrutto nel 1936. Un'altra opera neoplastica viene presentata al Salon des Tuileries.

1928. Dipinge il *'Tableau-poème'* (*Catalogo*, n. 383) con testo di Michel Seuphor.

1929. Con Baumeister, Kandinsky, Arp, Pevsner, Schwitters e Vantongerloo diviene membro del gruppo Cercle et Carré fondato da Seuphor e da Joaquin Torrès-Garcia.

Dal 1929 al '31 "dipinge una serie di tele a grandi rettangoli rossi. In alcune il rosso si stende al punto di occupare metà della superficie dipinta. Generalmente un piccolo rettangolo blu e un piccolo rettangolo giallo si aggiungono a queste composizioni per rafforzare lo splendore del rosso. Un gran numero di tele sono allora dei quadrati perfetti" (Seuphor, 1956).

1930. In aprile espone con il gruppo Cercle et Carré e pubblica sul secondo numero della rivista, che porta il nome del gruppo, l'articolo *L'art réaliste et l'art superréaliste (la morphoplastique et la néoplastique)*.

1932. Si unisce al gruppo Abstraction-Creation, fondato nel 1931 da Georges Vantongerloo e Auguste Herbin e che raccoglie l'eredità di Cercle et Carré. Collabora ai tre primi *albums* editi da questo gruppo. L'architetto olandese Dudok gli commissiona una tela per la sala principale del nuovo municipio d'Hilversum, la *Composizione con due linee* (*Catalogo*, n. 405). Nelle sue tele comincia ad apparire la linea doppia (si veda il n. 407).

1934. Riceve la visita di Ben Nicholson e, successivamente, di Harry Holtzman.

1935. "Un'altra novità inattesa ancora: la tela in altezza con linee parallele che l'attraversano dal basso all'alto senza incrociarsi" (Seuphor, 1956).

1936. Lo stabile di rue du Départ deve essere demolito: in marzo Mondrian è costretto a lasciare il suo *atelier* e a trasferirsi in boulevard Raspail n. 278, in uno studio che non gli sarà mai congeniale. "Comincia la moltiplicazione delle linee in croce. Esiste una tela in cui tredici linee nere attraversano la tela da parte a parte incrociandosi e formando una fitta grata che un unico rettangolo di colore rende ancor più minacciosa. Siamo lontano dal grande vuoto della tela di Hilversum! L'apparizione di queste tele drammatiche rivela forse che Mondrian sente l'avvicinarsi della guerra con il suo seguito di miserie?" (Seuphor, 1956).

1937. Il suo saggio *Plastic art and pure plastic art* è pubblicato nella raccolta "Circle" edita a Londra da Gabo e Ben Nicholson.

1938. Il pensiero della guerra imminente lo spaventa; la Francia circondata da Spagna franchista, Italia fascista e Germania nazista gli sembra destinata alla distruzione: parte perciò per Londra il 21 settembre. Si stabilisce a Hampstead, Parkhill Road n. 60, in una grande camera con le finestre su un giardino, vicino allo studio di Nicholson e di Gabo. Lavora assiduamente (inizia a dipingere grandi composizioni come *Composizione II con blu*, *Place de la Concorde*, *Trafalgar Square* (*Catalogo*, n. 450, 462, 463) (terminate qualche anno dopo a New York) e riesce, con l'appoggio degli amici Ben Nicholson, Barbara Hepworth, Gabo, J. L. Martin a vendere alcune tele, ricavandone somme sufficienti a mantenersi.

1940. Dopo i bombardamenti di Londra, accetta l'invito più volte rivoltogli da Harry Holtzman e si imbarca per New York alla fine di settembre. Arriva a New York il 3 ottobre. Si stabilisce al 353 Est della 52nd Street. Oltre che da Harry Holtzman, è aiutato e assistito dall'amico Fritz Glarner, conosciuto a Parigi nel 1929.

1941. Comincia a dipingere *New York* (*Catalogo*, n. 457), terminato nel 1942. La linea nera sparisce ormai dalle sue composizioni, per far posto a linee rosse, blu e gialle.

1942. Espone presso la galleria di Valentin Dudensing, suo mercante. A New York è circondato da molti amici, inoltre la vendita di un buon numero di opere gli permette di vivere senza problemi economici. Inizia *'Broadway Boogie-Woogie'* (*Catalogo*, n. 464). Scompare la linea unita "sotto una moltitudine di piccoli quadrati che ne seguono la traccia". Le linee non hanno più un colore dominante, ma sono interamente fatte di una successione di piccoli quadrati rossi, blu, gialli e grigi. Il nero è escluso. Dà lettura del suo saggio *A new realism* alla galleria Nierendorf.

1943. Diviene membro della giuria del primo 'salone' di primavera, "Art of this country". Incontra André Breton e Max Ernst. Va ad abitare al 15 est della 59th Street, vicino alla Grand Army Plaza. Suoi vicini sono Hans Richter e Louis Sert. Inizia *'Victory Boogie-Woogie'* (*Catalogo*, n. 472).

1944. In gennaio riceve la visita di Fritz Glarner, che lo trova in cattive condizioni di salute e bisognoso di cure. Trasportato al Murray Hill Hospital, muore di polmonite il 1° febbraio.

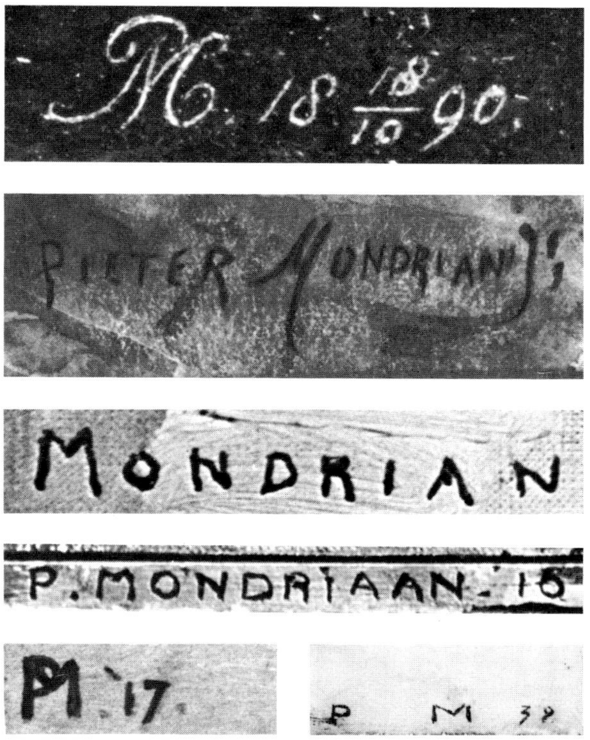

(Dall'alto) Firme dell'artista nei dipinti qui catalogati ai n. 2, 12, 268, 291, 298, 409.

Catalogo delle opere

Elenco cronologico e iconografico di tutti i dipinti di Piet Mondrian o a lui attribuiti

L'*iter* artistico di Piet Mondrian si venne svolgendo nell'arco di più di cinquant'anni: quando egli inizia, giovanissimo, a dipingere, guardando soprattutto ai pittori delle scuole dell'Aia e di Amsterdam (Hendrik Breitner, i fratelli Maris, Anton Mauve), l'impressionismo sta concludendo la sua parabola, un altro grande olandese, Van Gogh, è alla fine della sua tragica vicenda, si stanno affermando le correnti simboliste e il neoimpressionismo; quando egli muore, a New York si sta preparando il tempo dell'*action painting*. La sua vicenda si snoda dapprima seguendo il percorso dell'avanguardia artistica del primo Novecento, attraverso le esperienze impressioniste, *art nouveau*, divisionista, *fauve* ed espressionista, cubista, fino alla radicale svolta neoplastica, attorno al 1917, che segna la vera partenza dell'astrattismo di Mondrian, l'abbandono di ogni sia pur lontana ispirazione naturalistica, nella convinzione che "l'espressione visibile della natura è nello stesso tempo il suo limite", per una pittura che penetri i processi della ragione, che sviluppi "l'astrazione fino al suo estremo limite, l'espressione cioè della pura realtà" (*Towards the true vision of reality*, 1942).

È significativo che nel 1915 circa, parlando con l'amico Jacob van Domselaer, Mondrian affermasse: "La natura è un maledetto brutto affare. Io la sopporto a stento". Eppure egli aveva cominciato dipingendo naturalisticamente paesaggi, dapprima quasi da dilettante, sotto la guida del padre e dello zio Frits Mondriaan, in un ambiente provinciale, in cui andava per la maggiore una pittura ritardataria di paesaggio, influenzata soprattutto dagli impressionisti della scuola dell'Aia, che dalla tradizione della scuola di Barbizon avevano desunto "gli aspetti bucolici piuttosto che romantici, con particolare attenzione soprattutto agli effetti di luce, atmosfera e tempo, così da meritarsi l'epiteto di 'La scuola grigia'" (Welsh, 1966); successivamente secondo i modi convenzionali dell'Accademia di Amsterdam, e guardando a Breitner e Israels. I soggetti ricorrenti, come egli stesso ricorda (*Towards the true vision of reality*, 1942), sono i "paesaggi visti in un tempo grigio e scuro, oppure nel sole fortissimo, quando la densità dell'atmosfera rende scuri i particolari e accentua i tratti sommari degli oggetti", i paesaggi al chiar di luna, i boschi, "le vacche al riposo o immobili nei piatti campi olandesi, le case con finestre morte e bianche", i canali, gli alberi: rare le nature morte, rare le figure umane e i ritratti (anche nelle successive fasi della sua ricerca, l'interesse di Mondrian molto raramente sarà attratto dalla figura umana, quasi mai dalle scene animate: "non amavo particolarmente il movimento, come gente in azione" [*ibid.*]).

Nessuna concessione al romanticismo, però: "Non ho mai dipinto romanticamente queste cose", afferma Mondrian (*ibid.*), "ma all'inizio ero sempre un realista. [...] Il mio ambiente mi spingeva a dipingere gli oggetti con la visione comune [...]. Per questa ragione molti di quei lavori giovanili non hanno nessun valore effettivo". Dunque è lo stesso Mondrian "il primo detrattore dei suoi inizi, [lui] che riconosce l'importanza del suo lavoro soltanto a partire dal periodo cubista, cioè dal momento in cui comincia a liberarsi dalla rappresentazione dell'oggetto" (Calvesi, 1966). In effetti queste prime opere mostrano soltanto come il giovane pittore, palesemente non ancora aggiornato sui contemporanei avvenimenti artistici europei, badasse soprattutto ad acquisire un solido controllo della struttura pittorica.

Sull'inizio del secolo XX, probabilmente per influsso della pittura di Toorop, l'opera di Mondrian comincia ad aprirsi a suggestioni simboliste e Art Nouveau; ma fino al 1905-06 la maggior parte delle sue opere sono ancora sostanzialmente legate allo stile degli impressionisti di Amsterdam.

I soggetti di questo periodo, se si eccettuano i pochi desunti dall'iconografia simbolista (si veda ad esempio, la *Passiflora*, n. 197), sono i dintorni di Amsterdam, i paesaggi e le fattorie del Brabante, le file degli alberi specchiantisi nell'acqua, la fattoria di Duivendrecht, i paesaggi di sera, i mulini, i boschi. Una direzione precisa sembra tuttavia di poter già individuare in questi dipinti: non a caso "le vedute di case o alberi riflessi nell'acqua", le "immagini cioè bivalenti, quasi senza articolazione di profondità", secondo quanto osserva Calvesi (1966), ritornano in una nutrita serie. Il motivo invitava a dimostrare quella "sorta di teorema dell'unità fisica dello spazio e di equivalenza tra superficie e profondità che è proprio l'assunto delle sue prime ricerche".

Intorno al 1907-08 si apre un periodo di nuove fervide sperimentazioni. Il 1908 è l'anno del primo soggiorno a Domburg, un luogo, come osserva Seuphor (1956), che lascerà tracce indelebili — il mare, le dune, le torri, la serie dell'albero — in una fase molto importante dell'opera di Mondrian. Già intorno al 1906-07 la suggestione *fauve* ed espressionista si era fatta sentire in alcuni dipinti, ma nel periodo 1908-11 determinanti sono i suggerimenti che Mondrian accoglie dai *fauves*, trae da Van Gogh e dal contatto con la pittura divisionista e simbolista di Toorop e del suo gruppo.

Per quanto negli ultimi anni della sua vita egli sembri voler sminuire l'importanza di queste 'fonti' ("L'esperienza fu la mia sola maestra: sapevo poco delle correnti moderne dell'arte. Quando vidi per la prima volta le opere degli impressionisti, Van Gogh, Van Dongen e i *fauves*, le ammirai. Ma dovevo cercarmi da solo la vera via", *Towards the true vision of reality*, 1942), è indubbio che, almeno per l'uso dei colori puri accostati, la lezione di Matisse (mediata forse attraverso Sluyters?) sia stata importantissima ("La prima cosa che mutò nella mia pittura, fu il colore. Mutai il colore naturale con il colore puro. Ero giunto a sentire che i colori della natura non possono essere riprodotti sulla tela", *ibid.*): si pensi ad *Alberi sul Gein al chiaro di luna*, *Nuvola rossa*, *Bosco a Oele* (n. 171, 176, 200). Palesemente vangoghiani invece sono il *Mulino al sole*, l'*Albero rosso*, il *Contadino zelandese* (n. 201, 206, 241). (Giustamente l'Argan ha sottolineato come Mondrian, pur operando in direzione opposta, sia un moralista allo stesso modo di Van Gogh e la sua razionalità si configuri in ultima analisi come una difesa contro la disperazione di Van Gogh). Al contatto con Toorop e il suo gruppo è probabilmente dovuta la sperimentazione, in molti dipinti della serie delle dune, del campanile di Domburg, del faro a Westkapelle, di una tecnica di tipo divisionista. Dirà Mondrian nel 1943: "Nello svolgersi della cultura, la determinazione spaziale non si afferma solo mediante strutture e forme, ma anche con i mezzi materiali della pittura (pennellate, quadretti o punti di colore — impressionismo, divisionismo, *pointillisme*). Va sottolineato che queste tecniche governano la determinazione spaziale e non la tessitura. L'espressione della tessitura è l'affermazione dell'aspetto naturale delle cose. La determinazione spaziale distrugge questo aspetto". La pittura di Toorop (che andava del resto a sovrapporsi alla cultura teosofica di Mondrian: recentemente infatti Welsh ha dimostrato come la matrice di *Devozione*, n. 194, ed *Evoluzione*, n. 245, sia da ricercarsi anche nella lettura di precisi passi di testi teosofici, così come la serie dei crisantemi e dei girasoli morenti risulti collegabile alla teosofia, oltre che all'iconografia simbolista), può aver costituito anche il primo spunto per i dipinti simbolisti di questo periodo.

Né andrebbe sottovalutata, secondo alcuni critici (Welsh, Jaffé) l'influenza su opere di questi anni dell'espressionismo nordico di Munch.

A Domburg i temi che sembrano attrarre maggiormente l'interesse di Mondrian e su cui egli ritorna più e più volte sono il mare e le dune, il campanile di Domburg e il faro di Westkapelle: "Sono in sostanza i due poli costanti della sua ricerca sperimentale, la profondità e l'altezza. Il mare, è l'estensione in profondità che si risolve nella dilatazione della superficie; il campanile e il faro, lo spazio che potenzia e riassume la profondità nella sua iperbolica tensione in altezza" (Calvesi, 1966).

Poi Mondrian incontra il cubismo: vede dal vivo le prime opere cubiste nell'autunno del 1911 ad Amsterdam; i primi giorni del 1912 lo vedono già a Parigi. "Fui immediatamente attirato dai cubisti, specialmente da Picasso e da Léger. Di tutti gli astrattisti (Kandinsky e i futuristi) sentii che soltanto i cubisti avevano scoperto la direzione giusta; e, per un certo tempo, subii molto il loro influsso" (*Towards the true vision of reality*, 1942). Egli fa suo il linguaggio cubista in quanto ne intuisce "lo sforzo grandioso di rompere con l'apparenza naturale delle cose e, *parzialmente*, con la forma limitata". Ma ben presto gli sarà chiaro che "il cubismo non accettava le logiche conseguenze delle proprie scoperte: non sviluppava l'astrazione fino al suo estremo limite, l'espressione cioè della pura realtà" e che "le particolarità della forma ed il colore naturale evocano stati subiettivi del sentire, che oscurano la pura realtà. L'apparenza delle forme naturali muta, ma la realtà rimane costante" (*ibid.*).

A Parigi (Mondrian ha quasi quarant'anni, ma deve trovare ancora la sua strada: ha la sensazione che l'adesione al cubismo rappresenti per lui la svolta decisiva, e il cambiamento nell'ortografia del suo cognome ne è forse il segno esteriore) vive e dipinge quasi in solitudine: il suo biografo, Michel Seuphor, afferma di ignorare quali amicizie Mondrian abbia potuto stringere nel primo soggiorno parigino tranne quella con il compositore Jacob van Domselaer, cui si aggiungono le rare visite a Kees van Dongen e a Peter Alma; le sue opere cubiste attestano comunque che egli guarda soprattutto a Picasso e a Braque. Dopo quella che è considerata la sua prima opera cubista, *Natura morta con vaso di zenzero*, n. 246 (non a caso un ritorno a un soggetto da tanti anni assente nella sua opera), seguendo le successive versioni dei tre "temi-pretesto" (Seuphor) che appassionano Mondrian durante il periodo cubista (gli alberi, le facciate delle case di Parigi, le impalcature) è possibile seguire il processo di Mondrian verso l'astrazione.

Gradualmente, la corporeità dell'oggetto, il tema naturale scompaiono e si giunge alle *Composizioni di linee e colori*. "È in questo passaggio che nasce veramente l'astrattismo: linee e colori non più dell'oggetto, non più sue scaglie incombuste che battono e tamburreggiano lo spazio, ma dirette rappresentazioni dello spazio, sue concrete direzioni. Il problema è sul punto, allora, di raggiungere la sua definitiva chiarificazione" (Calvesi, 1966).

Tornato in Olanda nel '14, Mondrian vi rimane per tutta la durata della guerra, continuando il lavoro di astrazione in una serie di facciate di chiese, alberi, case. "Ma sentivo", egli afferma (*Towards the true vision of reality*, 1942), "di lavorare ancora come un impressionista e continuavo ad esprimere sentimenti particolari, non la pura realtà. Sebbene fossi fermamente convinto che non possiamo mai essere assolutamente 'obiettivi', sentivo che si può diventare sempre meno 'subiettivi' finché il subiettivo non predomina più nelle proprie opere. Esclusi sempre più dalla mia opera tutte le linee curve, finché finalmente le mie composizioni consistettero soltanto di linee verticali e orizzontali incrociate [...]. Verticali e orizzontali sono l'espressione di due forze opposte, queste esistono ovunque e dominano ogni cosa, la loro azione reciproca costituisce la vita. Riconobbi che l'equilibrio di ogni aspetto particolare della natura poggia sull'equivalenza dei suoi opposti. Sentivo che il tragico è creato dalla non equivalenza". Il risultato ne è la composizione in bianco e nero (*'più' e 'meno'*) del 1917 (n. 296). Ma già prima del 1917 sono avvenuti alcuni incontri determinanti, per la futura opera di Mondrian. A Laren, dove egli si era stabilito verso la fine del 1914, conosce Schoenmaekers (si veda *Documentazione*, 1916) e rimane profondamente colpito dalle sue teorie: motivo fondamentale appare l'esistenza di una indissolubile connessione tra l'arte e l'universo; e compito dell'arte è dare un contributo alla realizzazione di una futura Utopia, un universo dove tutto sarà perfetta armonia. A questi medesimi principi sono chiaramente improntati molti degli scritti teorici di Mondrian, che a Schoenmaekers deve anche una parte della sua terminologia, e addirittura il termine principale di "nieuwe beelding", cioè neoplasticismo.

L'incontro avvenuto nel 1916 con il pittore Bart van der Leck è altrettanto importante, secondo quanto afferma Mondrian stesso in uno scritto del 1931: "La mia tecnica più o meno esatta, dunque ancora più o meno pittorica subì l'influenza della sua tecnica esatta". Egli comincia quindi nel 1917 a dipingere rettangoli di colore come forme staccate contro uno sfondo. ("Nella mia pittura lo spazio era ancora uno sfondo. Incominciai a determinare le forme: le verticali e le orizzontali divennero rettangoli. Apparivano ancora come forme staccate contro uno sfondo: il loro colore era ancora impuro", *Towards the true vision of reality*, 1942).

Nel 1917, per l'intraprendenza di Theo van Doesburg, conosciuto da Mondrian l'anno precedente (si veda *Documentazione*), esce il primo numero della rivista "De Stijl" ("È nato uno stile nuovo, è stata creata una nuova estetica, non c'è che da comprenderla e [...] da lavorare", 1926). Mondrian ora inizia la pubblicazione del saggio *Die nieuwe beelding in de schilderkunst* (La nuova plastica nella pittura): molte delle idee che ivi espresse confluiranno nel primo manifesto della rivista, pubblicato nel 1918 (ad esempio il tendere all'equilibrio tra universale e particolare, il rifiutare l'individualismo per l'universale). Alcuni passi di questo primo saggio chiariscono bene le opere attorno al 1917-18: la plastica nuova "deve trovare la sua espressione nell'astrazione della forma e del colore, cioè nella linea retta e nel colore primario"; essa appare come "la rappresentazione esatta dei soli rapporti"; il rapporto equilibrato è "la pura rappresentazione dell'universalità, dell'armonia e dell'unità che sono proprie dello spirito" e l'angolo retto è il rapporto più equilibrato poiché "esprime il rapporto primordiale di due forze contrarie"; "il ritmo dei rapporti dei colori e delle misure fa apparire l'assoluto nella relatività del tempo e dello spazio". Il suo scopo ultimo è di "eliminare il tragico della vita": "il tragico nella vita mena al creare tragico: l'arte, perché astratta e in opposizione con il naturale concreto, può precedere la sparizione graduale del tragico. Più decresce il tragico, più l'arte acquista purezza".

Procedendo su questa via nel 1918-19 (nel 1919 Mondrian torna a Parigi) appaiono le *Composizioni in grigio*, le *Losanghe*, le *Scacchiere*: è il recupero del ritmo. È Mondrian stesso ad affermare: "Nella composizione si esprime l'immutabile (lo spirituale) per mezzo della linea retta o dei piani di non colore (nero, bianco, grigio), mentre il mutevole (il naturale) si esprime per mezzo dei piani di colore e del *ritmo*" (1923).

Le tele tra il 1920 e il 1921 sono la preparazione alle 'classiche' tele neoplastiche che Mondrian comincerà a dipingere nel 1921, secondo uno schema che durerà fino al 1932. Mondrian afferma: "Sentii mancanza di unità e raggruppai i rettangoli: lo spazio divenne bianco, nero o grigio; la forma divenne rossa, blu o gialla. Unire i rettangoli equivaleva a continuare le verticali e le orizzontali del periodo precedente in tutta la composizione" (*Towards the true vision of reality*, 1942). A partire dal 1921 si può dire che nessun cambiamento di rilievo appare nella sua opera fino al 1932.

Né la serie delle losanghe costituisce un discorso a parte nel coerentissimo percorso di Mondrian, anzi proprio le tele a losanga del 1925-26, costituiscono la risposta del neoplasticismo "ortodosso" di Mondrian al "tradimento" di van Doesburg che, improvvisamente, aveva contrapposto al "neoplasticismo statico" un "elementarismo dinamico" che reintroduceva la diagonale. Ma Mondrian non ha ancora trovato la formula definitiva. A partire dal 1932 le linee nere si infittiscono sulla tela, fino a formare, dal 1935, dei drammatici graticci, "che un unico rettangolo di colore rende ancora più minacciosi" (Seuphor), o dove il colore è addirittura eliminato. Ma a New York il colore ha la sua rivincita nel '*Broadway Boogie-Woogie*' (n. 464) e nell'ultima opera di Mondrian, il '*Victory Boogie-Woogie*' (n. 472), le rette nere sono scomparse, sostituite da tracciati direzionali lungo i quali si allineano brevissimi quadrati e rettangoli di colore. Ma lungi dall'essere una "radicale svolta", come è parso ad alcuni critici, il periodo americano sembra essere un ritorno del ritmo, tema già svolto nel 1917. Acutamente Seuphor osserva come il '*Victory boogie-woogie*' sia "pieno di reminiscenze di epoche precedenti: vi si ritrova il ricordo della tensione densa di vibrazioni dei 'più' e 'meno' oltre che dei piani di colore delle opere del 1917: è una sintesi di tutta l'opera astratta di Mondrian".

Il primo problema che si presenta a chi si assuma l'impegno della catalogazione dell'opera di Mondrian è quello proposto dalla cronologia della produzione giovanile del pittore olandese. Si sa, secondo quanto testimonia Michel Seuphor, che, giunto a Parigi nel 1912, Mondrian giudicava ormai del tutto insignificanti le tele dipinte in Olanda, che egli aveva lasciato in deposito all'amico, pittore e mercante Simon Maris, all'Aia, al punto da permettere a quest'ultimo di firmare al suo posto le tele, prima della vendita. Quei quadri infatti avevano un certo mercato, sia pure a basso prezzo, al contrario delle opere cubiste e, in seguito, neoplastiche di Mondrian, e costituirono per lui una risorsa nei momenti difficili. Quando, tornato in Olanda per correre al capezzale del padre morente, fu costretto a rimanervi per tutta la durata della guerra, le ristrettezze economiche lo obbligarono a riprendere ancora alcuni temi del periodo precubista: egli firmava "Mondriaan", con due "a", queste tele, quasi a ricollegarsi alla pittura del periodo giovanile, in Brabante o in Zelanda. Anche tra il 1920 e il 1924, di nuovo a Parigi, in piena fase neoplastica, per gli stessi motivi, Mondrian dipinse un certo numero di fiori del tutto simili a quelli giovanili. A ciò si aggiunge il fatto che Mondrian (sempre secondo la testimonianza di Seuphor) non appose se tardi e con una certa approssimazione la data su un buon numero delle sue tele 'antiche'.

Un altro notevole problema è rappresentato dalla collocazione e dalla identificazione di un certo numero di opere di cui si conosce solo un generico titolo, soprattutto tra quelle un tempo appartenenti al più grande collezionista di Mondrian, l'olandese Salomon Slijper e passate, dopo la morte di costui, a collezioni private (la parte più importante e più consistente di tale collezione è stata donata fortunatamente dallo stesso Slijper al Gemeentemuseum dell'Aia).

La presente catalogazione, che comprende dei dipinti di Mondrian una scelta degli acquerelli, ha avuto come base l'opera di Michel Seuphor (si veda *Bibliografia*), strumento insostituibile per lo studio del pittore olandese e per quanto possibile ne ha integrato l'elencazione (tali casi sono segnalati all'interno della scheda dei singoli dipinti, per i quali si è ritenuto anche opportuno precisare la presenza in importanti 'retrospettive' recenti; peraltro tale raffronto resta valido soprattutto in rapporto al catalogo illustrato di Seuphor, in considerazione della già detta difficoltà di riconoscimento di alcuni dipinti nel più ampio repertorio generale non illustrato fornito dallo studioso), indicato le nuove collocazioni, talora mutata la cronologia, soprattutto attraverso l'esame dei cataloghi delle retrospettive di Mondrian del dopoguerra, e dei musei europei e americani, oltre che attraverso lo studio della complessiva letteratura critica sull'artista.

Si è ritenuto opportuno registrare solo le opere sicuramente autentiche; si sono invece escluse, soprattutto per il periodo giovanile, quelle su cui sussistano dubbi, appartenenti a collezioni private, non catalogate da Seuphor e attribuite a Mondrian da altri cataloghi, quando non sia stato possibile sottoporle a un esame obiettivo.

Quanto ai titoli, si sono per lo più adottati quelli ormai tradizionali; ciò vale, in particolare, per quanto riguarda le 'composizioni' per le quali la successione numerica indicata dal titolo risulta spesso in contraddizione con la sequenza cronologica accertata o supposta.

1. VACCHE IN RIVA A UN FIUME. L'Aia, Gemeentemuseum (Slijper)

ol/tv 17,5×23 f 1890

Già in proprietà Slijper a Blaricum. Si tratta di uno dei primi paesaggi (Mondrian si dedicherà in prevalenza a questo tema fino al 1905), chiaramente legato alla scuola dell'Aia. Secondo Ragghianti (1962) "l'opera è piuttosto impersonale, lo schema compositivo elementare, assai povero e però di immediato sbalzo dei contrapposti. Impianti analoghi sebbene variati persistono in altre opere anche più tarde".

2. BARCHE AL CHIARO DI LUNA. L'Aia, Tenkink

ol/tl 30,5×40,6 f d 1890

Non catalogato da Seuphor; esposto alla mostra di Toronto (1966, n. 2). Secondo Welsh (1966) raffigurerebbe un porto lungo lo Zuider Zee. Lo stesso studioso suggerisce per quest'opera una possibile relazione con il pittore olandese J.T. Abels, le cui vedute di porti alla luce della luna riprendono a loro volta un genere della pittura olandese del Seicento, che ebbe i suoi migliori esempi nell'opera di Aert van der Neer.

3. CREPUSCOLO. New York, Thaw and Co.

ol/tl 26,6×43,1 f d(?) 1890

Non catalogato da Seuphor; esposto alla mostra di Toronto (1966, n. 4). Il titolo è la traduzione della parola olandese "Schemering", che si legge su un cartellino posto sul retro del dipinto. Su di esso appaiono anche la data, 1890, e il nome Piet Mondrian, ma non è certo che siano di mano dell'artista. Lo stile del dipinto (Welsh, 1966) fa pensare che in questo momento influisca su Piet l'insegnamento dello zio Frits Mondriaan, appartenente alla scuola dell'Aia e alunno di Willem Maris.

4. COVONI IN UN CAMPO. L'Aia, Gemeentemuseum (Slijper)

ol/crt 29×39 f *1891*

Non catalogato da Seuphor; esposto alla mostra di Toronto (1966, n. 3). Secondo Welsh (1966), rappresenta probabilmente un primo tentativo indipendente di pittura *en plein air*. Il paesaggio è forse quello della campagna intorno a Wintersvijk.

5. ALBERI E COVONI. Amsterdam, Kunsthandel Monet

ol/tl 37,5×27 1889-92

Non catalogato da Seuphor; presentato alla mostra di New York (1971, n. 1).

1

2

5

3

4

6

7   8   10   12

11   13   14

l'esposizione del 1893 del gruppo Kunstliefde a Utrecht. Oltre al ricordo della pittura di nature morte del Seicento olandese, è chiaramente presente l'influsso della pittura olandese naturalistica contemporanea.

11. PAESAGGIO CON CORSO D'ACQUA. Amsterdam, propr. priv.

ol/tl   28,5×37   f   1894

Non catalogato da Seuphor; esposto alla mostra di Toronto (1966, n. 8). È una delle tre opere conosciute che furono firmate: "PIETER MONDRIAAN" (le altre due sono i n. 12 e 13). L'uso di questa firma, secondo Welsh (1966), si spiegherebbe col desiderio di Mondrian che il dipinto non venisse attribuito a suo zio Frits, che talvolta firmava in modo tale che il primo nome poteva essere letto "Piet". In questo periodo lo stile del giovane Mondrian appare ancora legato a quello del pittore più anziano e la precisazione poteva rendersi necessaria (Welsh).

12. LAVANDAIE. Leida, den Heeten

ol/tl   28,8×23,8   f   1895 c.

Non catalogato da Seuphor; esposto alla mostra di New York (1971, n. 3). Si veda anche al n. 11.

13. PAESAGGIO CON CORSO D'ACQUA. L'Aia, Gemeentemuseum

acq/crt   49×66   f   1895 c.

Non catalogato da Seuphor. Esposto alla mostra di New York (1971, n. 3). Si veda anche al n. 11.

14. PAESAGGIO MARINO. L'Aia, Kunsthandel Nieuwenhuizen Segaar

ol/tl   23,5×37   1895

15. BARCA SU UN FIUME. L'Aia (?), Nieuwenhuizen Segaar

ol/crt   34×55   1895 c.

Riprodotta da Seuphor (1970, ill. n. 124). Per stile e tecnica, vicino alla maggior parte dei primi paesaggi, dipinti da Mondrian secondo i precetti della scuola dell'Aia. Ne esiste una versione posteriore (n. 49).

16. PONTE SU UN CANALE. Parigi, propr. priv.

acq/crt   40,5×62   1896 c.

Non catalogato da Seuphor; esposto alla mostra di Toronto (1966, n. 13).

17. CASE SU UN CANALE. Amsterdam, Kunsthandel Monet

ol/tl   34×52   f   1897 c.

Non catalogato da Seuphor; esposto alla mostra di Toronto (1966, n. 10).

18. RITRATTO DI VECCHIO. Parigi, Seuphor

ol/tl   50×40   f   1898 (?)

19. FATTORIA. L'Aia, Gemeentemuseum

ol/tl   33,5×52   1898 c.

Non catalogata da Seuphor.

20. CASE SU UN CANALE. L'Aia, Gemeentemuseum

ol/tl   39,5×47   f   1898 c.

Non catalogato da Seuphor.

6. NATURA MORTA CON LEPRE. L'Aia, Gemeentemuseum (Slijper)

ol/tl   80×51   f   d   1891

Non catalogata da Seuphor; presentata alla mostra di New York (1971, n. 2).

7. NATURA MORTA CON BROCCA E CIPOLLE. Hilversum, Lambeek

ol/tl   65×72   f   d   1892

Non catalogata da Seuphor; presentata alla mostra di Toronto (1966, n. 5). Secondo Welsh (1966), da identificarsi con il quadro dal titolo *Kan met Uijen* che Mondrian inviò nella primavera del 1892 con altre tre nature morte alla mostra del gruppo Kunstliefde a Utrecht e che fu giudicato (recensione in "Utrechtsche Prov. en Stedelijk Dagblad", 27 aprile 1892) "piacevole nel colore, luminoso, ma privo di poesia".

8. CHIESA VISTA DALL'ABSIDE. ..., Smid

ol/tl   60×49,3   f   1892

Non catalogata da Seuphor; presentata alla mostra di Toronto (1966, n. 7). Per Welsh (1966) vi si può scorgere l'influsso della scuola di Barbizon e di Corot. Inoltre (sempre secondo Welsh) il motivo della chiesa isolata nella campagna può suggerire il ricordo delle opere più strettamente romantiche di Caspar David Friedrich e di numerosi artisti romantici olandesi.

9. BARCA SULL'AMSTEL DI SERA

acq   56×66   1892 c.

Riprodotta da Seuphor (1970, ill. n. 123), che la indica in proprietà a Slijper Blaricum.

10. NATURA MORTA CON PESCI. Amsterdam, Stedelijk Museum

ol/tl   66×74   f   d   1893

Eseguita probabilmente subito dopo l'arrivo ad Amsterdam, fu presentata da Mondrian al-

16   17   24

19   20   21

22   23   25

26

27

28

29

30

31

32

21. ALBERI SUL GEIN. L'Aia, Gemeentemuseum

ol/tl 25×32 1898 c.

Non catalogato da Seuphor. Sul tema degli alberi specchiantisi nell'acqua, che appare qui per la prima volta, Mondrian ritornerà spesso, fino al 1908.

22. CANALE AD AMSTERDAM. New York, Hillman

ol/tl 50,8×67,3 f 1898 c.

Non catalogato da Seuphor; presentato alla mostra di New York (1971, n. 4).

23. PAESAGGIO CON CASE. L'Aia, Gemeentemuseum (Slijper)

ol/tl 30×42 f 1898 c.

Non catalogato da Seuphor.

24. FATTORIA CON CONTADINA. L'Aia, Gemeentemuseum (Slijper)

crt 37×23 f 1898 c.

Non catalogata da Seuphor.

25. FIENILE. L'Aia, Gemeentemuseum

acq/crt 64×47 f 1898 c.

Già nella collezione van den Briel. Secondo Wijsenbeek (1968) si tratta dell'acquerello (n. 55) presentato alla mostra dell'Accademia di San Luca ad Amsterdam nel 1898.

26. FATTORIA CON CONTADINA A WINTERSWIJK, D'INVERNO. New York, Feigen and Co.-Hahn

ol/tl 48,2×58,1 f 1898-99

Non catalogata da Seuphor; presentata alla mostra di New York (1971, n. 6).

27. NATURA MORTA CON BUSTO DI GESSO. Groninga, Museum voor Stad en Lande

ol/tl 73,5×61,5 1900 c.

28. FATTORIA A BLARICUM. L'Aia, Gemeentemuseum (Slijper)

ol/crt 45,5×56 f 1898-1900 c.

Non catalogata da Seuphor.

29. FATTORIA. L'Aia, Gemeentemuseum (Slijper)

ol/tl 33×43 f 1898-1900 c.

Non catalogata da Seuphor.

30. FATTORIA. L'Aia, Gemeentemuseum (Slijper)

crt 37×54 f 1898-1900 c.

Non catalogata da Seuphor.

31. PAESAGGIO CON VACCHE E CORSO D'ACQUA. L'Aia, Gemeentemuseum (Slijper)

ol/tl 20,5×38,5 f 1898-1900 c.

Non catalogata da Seuphor.

32. CANTIERE. L'Aia, Kunsthandel Nieuwenhuizen Segaar

ol/tl 30×36 f 1898-99

Blok suggerisce l'identificazione con il dipinto dal titolo *Scheepstimmerwerf*, esposto ad Amsterdam tra il 1898 e il '99, e ampiamente lodato in un articolo della rivista "Arnhemshe Courant" del 9 settembre 1898, nel quale Mondrian era presentato come il più promettente tra i giovani espositori. A.P. van den Briel, diventato amico

di Mondrian poco dopo, testimonia come Piet dipingesse spesso soggetti simili nei dintorni di Amsterdam, a Schinkelbuurt e Nieuwe Meer.

33. BACINO A DURGERDAM. L'Aia, Gemeentemuseum (Slijper)

ol/crt 36,5×46 f 1900 c.

Variamente datato dai critici: Welsh (1966) lo assegna al 1898, Seuphor (1956) al periodo attorno al 1900, Wijsenbeek (1968) al 1902-03. Secondo Welsh rappresenta, come *Cantiere* (n. 28), un momento importante dello stile di Mondrian attorno al 1900, in cui una tecnica fondamentalmente impressionista si combina con i toni più scuri, bruni della scuola di Amsterdam.

34. BACINO A DURGERDAM. Bruxelles, Cuvelier

acq/crt 45×61 f 1900 c.

Non catalogato da Seuphor; presentato alla mostra di Toronto (1966, n. 12). È la seconda versione del dipinto al Gemeentemuseum (n. 33).

35. BACINO A DURGERDAM. Minneapolis, Dayton

acq/crt 62,2×80 f 1900 c.

Non catalogato da Seuphor; presentato alla mostra di New York (1971, n. 5). Prossimo ai n. 33 e 34.

36. FATTORIA CON PANNI STESI. L'Aia, Gemeentemuseum

ol/tl 31,5×37,5 f 1900 c.

Non catalogata da Seuphor.

37. CASA SUL GEIN. Heemstede, Spaan

acq/crt 46×57 f d 1900

Non catalogata da Seuphor; esposta alla mostra di Toronto (1966, n. 19). Secondo Welsh (1966), la data che appare sulla facciata a mattoni della casa permette di identificarla con l'edificio attualmente al n.76, Gein Nord. Dunque in questo periodo Mondrian cominciava a visitare la zona del Gein in compagnia di Simon Maris, che, ritornato dai suoi viaggi di studio all'estero, dipingeva lungo il Gein e vicino al villaggio di Weesp.

33

34

35

36

37

38

39

40

41

42

43

44

50

46

47

48

49. PAESAGGIO CON BARCA. New York, propr. priv.

ol/tl 31,7×32,3 f 1901

Non catalogato da Seuphor; esposto alla mostra di Toronto (1966, n. 17). Riprende il tema del n. 15.

50. CRISANTEMO. L'Aia, collezioni reali

acq/crt 38,3×19,3 f 1901

Non catalogato da Seuphor; esposto alla mostra di Toronto (1966, n. 18). Venne donato dall'Associazione Arti et Amicitiae alla regina Guglielmina d'Olanda il 7 marzo 1901, in occasione del suo matrimonio. È da considerarsi con il n. 44 tra i primi esempi (Welsh, 1966) dei molti studi di singoli fiori che Mondrian continuerà a dipingere fino alla metà degli anni Venti.

51. NATURA MORTA CON MELE E PIATTO. Lovanio, Gazan

acq 37×55 f d 1901

Non catalogata da Seuphor; presentata alla mostra di New York (1971, n. 9).

52. CAMPO E CIELO. New York, Fine Arts Mutual

ol/tl 26,7×31,7 f 1900-02

Non catalogato da Seuphor; presentato alla mostra di New York (1971, n. 10).

53. ALBERO SUL KALFJE. L'Aia, Gemeentemuseum

ol/tl 28,5×28,5 f 1901-02

Non catalogato da Seuphor. Appartiene a un gruppo di tre dipinti (n. 53-55) in cui lo stesso albero è ripreso da differenti punti d'osservazione.

54. ALBERO SUL KALFJE. L'Aia, Gemeentemuseum

ol/tl 23,5×37,5 f 1901-02

Non catalogato da Seuphor; si veda al n. 53.

55. ALBERO SUL KALFJE. Londra, Gimpel

ol/tv 24,8×28,9 f 1901-02

Non catalogato da Seuphor; presentato alla mostra di New York (1971, n. 11). Si veda anche al n. 53.

38. CASA SUL GEIN. New York, Gans

ol/tl 41,8×31 f 1900

Non catalogata da Seuphor; esposta alla mostra di Toronto (1966, n. 20). La stretta correlazione tra il dipinto e l'acquerello dello stesso tema, firmato e datato 1900 (n. 37) fa ritenere probabile anche per la versione a olio la data 1900.

39. CASA SUL GEIN. L'Aia, Kunsthandel Niewenhuizen Segaar

ol/tl 23,5×31 f 1900

Non catalogata da Seuphor. Prossimo ai n. 37 e 38.

40. FABBRICA. L'Aia, Gemeentemuseum (Slijper)

ol/crt 35×48 1900

Probabilmente raffigurata la Royal Wax Candle sita di fronte all'abitazione di Mondrian ad Amsterdam, in Ruydaelkade, n. 75, dove il pittore risiedette dal 9 aprile al 16 agosto 1895.

Lo stesso edificio, preso da un differente punto di vista, appare anche in un piccolo disegno dello stesso anno.

41. PAESAGGIO CON CORSO D'ACQUA, DI SERA. L'Aia, Gemeentemuseum (Slijper)

ol/tl 66×76 f 1900

Nei primi tempi dell'attività di Mondrian, mentre non sono molti i dipinti di figure, numerosissimi sono i paesaggi. Fino al 1904-05, questi "si inseriscono nell'attivissimo paesaggismo che contrassegnò la pittura da Jacob a Willem e Matthijs Maris, Anton Mauve, Mesdag, Gabriel, Rollofs, Israels, Breitner" (Ragghianti, 1962) e sono simili a molti dipinti dello stesso genere, oggi dimenticati, che si possono vedere riprodotti sulle riviste europee dal 1890 al 1910. I temi sono molto spesso orizzonti, cieli, "masse arboree tra nubi ed acque abbiancate, grandi solitudini, canali modellati dalla neve, molini, greggi, armenti" (Ragghianti).

42. AUTORITRATTO. Washington, Phillips Collection

ol/tl 49×38 1900

Già a New York, Sidney Janis Gallery. È il primo autoritratto di Mondrian. In basso a sinistra si legge un'iscrizione in stampatello, in olandese, aggiunta da A.P. van den Briel, amico dell'artista, cinque o sei anni dopo l'esecuzione del dipinto. Si tratta della traduzione di un'antichissima poesia islandese (in italiano essa suona: "Così io rischio di mettere la mia persona al mondo, e tranquillamente attendo, perché il destino che eternamente ci insegue, spinge il mio desiderio fino alla completa sicurezza"). Seuphor riferisce che Mondrian detestava questo ritratto, tanto che una volta tentò di distruggerlo a colpi di pistola.

43. FIORI. L'Aia, Kunsthandel Niewenhuizen Segaar

ol/tl 46,5×24 f 1900

Abbozzo. Definito dal Ragghianti (1962) "non più che piacevole e colorita impressione".

44. CRISANTEMO. Minneapolis, Dayton

acq 36,8×22,9 f d 1900

Non catalogato da Seuphor; presentato alla mostra di New York (1971, n. 7).

45. CAGNOLINO. Hilversum, Lambeek

ol/tl 52×40 1900 c.

Riprodotto da Seuphor (1970, ill. n. 32).

46. FATTORIA CON CONTADINA. L'Aia, Gemeentemuseum (Slijper)

ol/tl 46×55 1900

Riferito da Seuphor intorno al 1900-05.

47. FATTORIA. L'Aia, Gemeentemuseum (Slijper)

ol/tl 26×38 1900

48. FATTORIA DI SERA. L'Aia, Gemeentemuseum (Slijper)

ol/crt 64×75 1900 c.

56. PONTE A DIEMEN. Mt. Kisco (New York), Gildesgame

ol/tl 52×36,1 f d 1902

Non catalogato da Seuphor; presentato alla mostra di Toronto (1966, n. 21).

57. FATTORIA E ALBERI AL CHIARO DI LUNA. L'Aia, Gemeentemuseum (Slijper)

ol/tl 34,5×47,5 f 1902

Riferita da Seuphor al 1902, da Wijsenbeek (1968) al 1907; appare più convincente la datazione di Seuphor, dal momento che l'attività del 1907 è contrassegnata soprattutto (Ragghianti, 1962) dall'interesse per un grafismo di marca Art Nouveau, o da opere che segnano la transizione verso un nuovo orientamento, sotto l'influenza di Munch.

58. PAESAGGIO VICINO AD AMSTERDAM. Parigi, Seuphor

ol/tl 29×48 f 1902 c.

Riprodotto da Seuphor (1970, ill. n. 41). Il ricordo della scuola di Barbizon vi è chiaro, ma ciò che conta è "l'atteggiamento contemplativo di Mondrian di

49

51

52

53

54

55 [Tav. I]

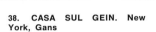

56   **57**   **59** [Tav. II]   **60**

61   **62**   **63**   **64**

65   **66**   **67**   **68**

69   **70**   **71**   **72**

fronte alla natura, che gli detta una impaginazione del quadro scandita su ritmi ampi e pacati" (Menna, 1962).

59. ALBERI SUL GEIN. L'Aia, Gemeentemuseum

ol/tv 31×35 1902

Precedentemente apparteneva alla collezione T. Bruin-Reitsma-Heemstede. A ragione Seuphor e Ragghianti (1962) l'assegnano al 1902; meno convincente la data 1905-06 proposta da Wijsenbeek (1968). Il colore è tutto giocato su toni vividi di verde e di grigio brillante, la pennellata è rapida e sciolta, ma notevole è in questo come in altri contemporanei e successivi paesaggi sul Gein la tendenza già assai chiara a enunciare "quel rapporto orizzontale-verticale che caratterizzerà poi la produzione maggiore dell'artista. Mondrian comincia cioè a guardare il paesaggio non come un pretesto pittoresco, ma come un contesto di forme da ricondurre ai principi costitutivi mediante un'indagine analitica preliminare, che

costituirà poi lo scheletro, l'impalcatura del quadro" (Menna, 1962). Ragghianti analizza minutamente il dipinto: "Il formato è scompartito nella superficie in 4 parti uguali (salvo una quasi impercettibile differenza) dai due assi centrali verticale e orizzontale. La striscia formata dalle sponde, dall'acqua e dal riflesso è rigorosamente centrale e le due zone in alto e in basso, sono rigorosamente omotetiche, come del resto le strisce disposte sopra e sotto l'asse mediano. L'allineamento delle verticali, invece, pur essendo ugualmente rigoroso è più variato. Nella zona sinistra (metà esatta del quadro) il ritmo è binario e la sua cadenza è di 1 + 1 + 1 // 3, cioè si applica un modulo fisso, nella zona destra il ritmo è periodicamente crescente del centro cioè la partitura dà 1.4 - 1.6 - 1.8 - 2. La stesura pittorica 'impressionista', secondo che viene definito, ha fatto passare totalmente inosservato questo ordinamento ritmico e modulare".

60. L'AMSTEL DI SERA. L'Aia, Gemeentemuseum (Slijper)

ol/tl 42×75 1902

Assegnato da Seuphor al 1902, da Wijsenbeek (1968) al 1906-07.

61. VACCHE IN UN PRATO. L'Aia, Gemeentemuseum (Slijper)

ol/tl 45×60 1902

Potrebbe essere, secondo Welsh (1966) il dipinto intitolato *Grazend Kalfje* (n. 359) della mostra "Levende Meesters" tenuta nel settembre 1903 presso lo Stedelijk Museum di Amsterdam. Lo stile è nella tradizione pittorica impressionista. L'attenzione dell'autore è chiaramente rivolta sia all'equilibrio della composizione, sia al motivo dell'immagine riflessa nell'acqua. Ragghianti (1962) ne fa una minuta analisi: "piccolo abbozzo, definito 'studio dal vero'; non ci può essere dubbio sulla rapidità della stesura a larghe e decise pennellate di colore a corpo, per masse velocemente riassunte. Tuttavia la

ricostruzione del tracciato ordinatore rivela come la struttura del dipinto sia quasi esemplare di una corretta e saldata Linienaufbau: partitura orizzontale in tre zone parallele eguali, partitura verticale binaria secondo l'asse mediano; a sinistra gli animali disciplinati in due quadrati il maggiore dei quali è la metà esatta del tracciato che unifica gli animali a destra, i profili delle figure vaccine, l'alberello al centro. Tutte le parti figurali della composizione risultano rigorosamente inquadrate nella trama ritmica che anche in questo caso ha una decisa frontalità di superficie".

62. VACCHE. L'Aia, Gemeentemuseum (Slijper)

ol/crt 31,5×41,5 f 1902-03

Studio non finito; sarebbe, secondo Welsh (1966) la ripresa del soggetto e dei motivi delle *Vacche in un prato* (n. 61) del 1902 e si collocherebbe poco dopo. Seuphor lo data 1902, Wijsenbeek (1968) 1906-07.

63. VACCA IN UN PRATO. L'Aia, Gemeentemuseum

ol/crt 23,5×28,5 1902-03 c.

Non catalogata da Seuphor. Si vedano, per il soggetto, i n. 61 e 62.

64. VACCA IN UN PRATO. L'Aia, Gemeentemuseum (Slijper)

crt 26,5×32 f 1902-03

Non catalogata da Seuphor.

65. TORO. L'Aia, Gemeentemuseum (Slijper)

crt 31,5×38,5 f 1902-03

Non catalogato da Seuphor.

66. CAPANNE SULL'ACQUA. L'Aia, Gemeentemuseum (Slijper)

ol/tl 28,5×39 f 1902-03

67. PAESAGGIO CON CIELO NUVOLOSO. L'Aia, Gemeentemuseum (Slijper)

ol/tl 36×49 f 1902-03

Abbozzo, che pare già preannunciare le dune di Domburg

73

74

75

77

78

79

80 [Tav. III]

81

82

83

84

85

92

84. PAESAGGIO CON BARCA (Sulla Terra. Veduta di Amsterdam dal mare). L'Aia, Gemeentemuseum

ol/crt 30,5×38 f 1903 c.

Non catalogato da Seuphor.

85. MULINO SULL'ACQUA. New York, Museum of Modern Art

ol/tl 30×37,5 1900-04

Datato da Seuphor 1900. Appartiene a quel periodo di versatile sperimentazione pittorica che arriva fino al 1903-04: qui è facile rilevare la relazione con Breitner.

86. BOSCO

ol/tl 30×45 1904 c.

Già in proprietà Slijper a Blaricum. Probabilmente collocabile nel periodo trascorso dall'artista in Brabante (Seuphor sottolinea il fatto che nei dintorni di Amsterdam non si trovano boschi).

Il medesimo tema è ripreso in un carboncino della collezione E. A. van Heek, a Delden, (cb-mt, 30×40; Seuphor, 1970, ill. n. 60), e in un bellissimo grande acquerello già nella collezione Slijper (n. 86 bis).

86 bis. BOSCO

acq/crt 46×57 1904 c.

Già in proprietà Slijper a Blaricum. Su toni malva scuri. Secondo Seuphor, che lo riproduce (1970, ill. n. 61), è una semplice variazione sul tema della linea verticale dei tronchi. Il fondo finisce curiosamente a punta nel centro della tela: una sola diagonale, solco o sentiero taglia la verticale del tronco più vicino. Si veda al n. 85.

87. SALICE. Parigi, Kickert

ol/tl 40×30 1904 c.

Riprodotto da Seuphor (1970, ill. n. 84).

88. FATTORIA A NISTELRODE. L'Aia, Gemeentemuseum

ol/crt 33×43 1904 c.

Non catalogata da Seuphor.

89. INTERNO A NISTELRODE. L'Aia, Gemeentemuseum

acq/crt 48×62 f 1904

Non catalogato da Seuphor; presentato all'esposizione dell'Accademia di San Luca ad Amsterdam nel 1907 (n. 11).

90. FATTORIA IN BRABANTE. New York, Sidney Janis Gallery

ol/crt 40×48,2 f 1904 c.

Non catalogata da Seuphor; esposta alla mostra di Toronto (1966, n. 25).

91. MULINO A VENTO. New York, Sidney Janis Gallery

acq/crt 77,7×55,5 f 1904

Non catalogato da Seuphor; esposto alla mostra di Toronto (1966, n. 26).

92. INTERNO DI CUCINA. 's Graveland, Greidanus

acq/crt 51×65 f 1904

Non catalogato da Seuphor; presentato alla mostra di Toronto (1966, n. 27).

---

o i paesaggi con nuvole della più tarda fase influenzata da Munch (Ragghianti, 1962).

68. PAESAGGIO. L'Aia, Gemeentemuseum (in prestito da L. Homan)

crt 63,5×76 f 1902-03 c.

Non catalogato da Seuphor.

69. PAESAGGIO CON VACCHE. L'Aia, Gemeentemuseum (Slijper)

crt 25,5×32,5 1902-03 c.

Non catalogato da Seuphor.

70. PAESAGGIO AL CHIARO DI LUNA. L'Aia, Gemeentemuseum (Slijper)

crt 63×74 f 1902-03 c.

Non catalogato da Seuphor.

71. ALBERO ISOLATO. L'Aia, Gemeentemuseum (Slijper)

ol/crt 40×65 1900-05

Seuphor lo data 1900-05, Wijsenbeek (1968) 1907. Il motivo è lo stesso di Sera sul Gein, pure al Gemeentemuseum (n. 101).

72. ALBERI. Chamonix, Frison-Roche

ol/tv 16,5×12 f 1902-05

Non catalogato da Seuphor.

73. SALICI. Amsterdam, propr. priv.

ol/tl 25,3×29,8 f 1903 c.

Non catalogato da Seuphor; presentato alla mostra di Toronto (1966, n. 23).

74. SALICI SUL GEIN. L'Aia, Gemeentemuseum (Slijper)

ol/tl 48,5×52 1903

"È la tradizione pittorica impressionista qual'è declinata in tutta Europa nell'interpretazione di un colorismo di sensazioni e di effetto, che il disegno, pur ingegnandosi a mantenere la vibrazione e l'immediatezza, contrae in un'avvertibile attenzione alle strutture" (Ragghianti, 1962).

75. SALICI SUL GEIN. L'Aia, Gemeentemuseum (Slijper)

ol/tl 52×62 f 1903

76. SALICI SUL GEIN. L'Aia (?), Nieuwenhuizen Segaar

ol/tl 40×60 1903

Riprodotto da Seuphor (1970, ill. n. 82).

77. SALICI SUL GEIN. L'Aia, Gemeentemuseum

acq/crt 47,5×61 f 1903 c.

Già nella collezione T. Bruin-Reitsma. "Le tele e i cartoni dell'epoca che segue l'Accademia mostrano la tendenza a una pittura a larghe pennellate" (Seuphor).

78. SALICI. L'Aia, Gemeentemuseum (Slijper)

ol/tl 22,5×27,5 f 1903 c.

Non catalogato da Seuphor.

79. SALICI. L'Aia, Gemeentemuseum (Slijper)

ol/tl 43,5×31 f 1903 c.

Non catalogato da Seuphor.

80. ALBERI SUL GEIN. Londra, Annely Juda Fine Art

ol/tl 38,1×24,8 f 1903 c.

Non catalogato da Seuphor; presentato alla mostra di New York (1971, n. 13).

81. IL VITELLO BIANCO. L'Aia, Gemeentemuseum

acq/crt 44,5×58,5 f 1903 c.

È da porsi in relazione con la serie dei Salici sul Gein e con i paesaggi sul Gein dello stesso periodo.

82. L'AMSTEL. L'Aia, Gemeentemuseum

acq/crt 31×41 f 1903 c.

Secondo Welsh (1966) questo acquerello, il cui tema verrà ripreso nell'Amstel di sera (n. 159), rappresenterebbe invece una veduta del Gein.

83. FATTORIA TRA GLI ALBERI. New York, Gans

ol/tl 48×33,5 f 1903 c.

Non catalogata da Seuphor; presentata alla mostra di New York (1971, n. 14).

93. INTERNO DI GRANAIO.
L'Aia, Gemeentemuseum (Slijper)

ol/tl 32×50 1904(?)

Non catalogato da Seuphor.

94. FATTORIA A NISTELRODE.
L'Aia, Gemeentemuseum

acq/crt 44,5×63 1904

"Un certo equilibrio nella divisione architettonica mi ha colpito nelle fattorie in Brabante" (P. Mondrian, *Natuurlijke en abstracte realiteit*, 1919).

95. FATTORIA. L'Aia, Gemeentemuseum (Slijper)

ol/tl 38,5×49 f 1904 c.

Non catalogata da Seuphor.

96. FATTORIA. L'Aia, Gemeentemuseum (Slijper)

crt 28,5×34 f 1904 c.

Non catalogata da Seuphor.

97. VILLAGGIO. L'Aia, Gemeentemuseum (Slijper)

crt 32×46,5 1904 c.

Non catalogato da Seuphor.

98. PAESAGGIO CON COVONE. L'Aia, Gemeentemuseum

ol/crt 30,5×38 1904 c.

Non catalogato da Seuphor.

99. ALBERI SULL'ACQUA. L'Aia, Gemeentemuseum

ol/crt 30,3×36,6 f 1903-06

Non catalogato da Seuphor.

100. ALBERI SUL GEIN. L'Aia, Gemeentemuseum (Slijper)

ol/tl 48×58 1903-06

Non catalogato da Seuphor. Tema ripreso successivamente.

101. SERA SUL GEIN. L'Aia, Gemeentemuseum

ol/tl 65×86 1903-06

Terpstra la colloca nel periodo 1903-04, Wijsenbeek (1968) nel 1903-1906; Welsh (1966) propone invece una datazione più tarda, tra il 1907 e i primi mesi del 1908. Potrebbe trattarsi anche di una veduta dell'Amstel. Si veda anche al n. 71.

102. FATTORIA SU UN CANALE. L'Aia, Gemeentemuseum

ol/tl 22,5×27,5 1903-06

Non catalogata da Seuphor.

103. FATTORIA SU UN CANALE FRA GLI ALBERI. L'Aia, Gemeentemuseum (Slijper)

tv 26×32,5 f 1903-06(?)

Non catalogata da Seuphor.

104. CONTADINA DAVANTI A UNA FATTORIA. L'Aia, Gemeentemuseum (Slijper)

ol/tl 33,5×22,5 f 1904-05

105. CONTADINA CON BAMBINO DAVANTI A UNA FATTORIA. L'Aia, Gemeentemuseum (Slijper)

ol/tl 33×22 f 1904-05

106. MULINO SULL'ACQUA. L'Aia, Gemeentemuseum (Slijper)

ol/tl 27×45 f 1903-05

86

88

89

90

91

93

92

94

95

96

97

98

99

100

101

102

103

104

105

106

107

111

94

107. MULINO SUL GEIN (?).
L'Aia, Gemeentemuseum (Slijper)

ol/tl 34,5×44,5 f 1903-05

Appartiene alla fase di pittura sciolta e improvvisa, tutta pennellata degli anni 1903-05 (Ragghianti, 1962).

108. MULINO SULL'ACQUA.
..., van der Hoeven Leonhard

ol/tl 36×51 1903-05 c.

Riprodotto in Seuphor (1970, ill. n. 108).

109. MULINO A VENTO. ...,
van der Hoeven Leonhard

ol/tl 47×46 1903-05 c.

Riprodotto in Seuphor (1970, ill. n. 109).

110. MULINO SUL FIUME

ol/tl 100×142 1905

Già in proprietà Slijper a Blaricum; riprodotto in Seuphor (1970, ill. n. 102). Si tratta probabilmente (Welsh, 1966) del cosiddetto "Mulino francese",

uno dei due grandi mulini a vento del diciassettesimo secolo sul fiume Gein.

111. MULINO DI SERA. L'Aia, Gemeentemuseum (Slijper)

ol/tl 67,5×117,5 f 1905 c.

Non catalogato da Seuphor.

112. J. P. G. HULSHOFF POL.
L'Aia, Gemeentemuseum

ol/tl 75×55,5 f d 1905

Non catalogato da Seuphor.

113. D. J. HULSHOFF POL.
L'Aia, Gemeentemuseum

ol/tl 75×55,5 f d 1905

Non catalogato da Seuphor.

114. DUIVENDRECHT. L'Aia, Gemeentemuseum

acq/crt 38,4×61,2 f 1905

Non catalogato da Seuphor.

115. DRAGA. L'Aia, Gemeentemuseum (Slijper)

ol/crt 63×75 f 1905 c.

Già in proprietà Mej A. Bruin.

Presentata alla mostra di Rotterdam del Kunstkring nel 1915 e catalogata con la datazione 1909, poco probabile se si tiene conto dei dati stilistici, che farebbero piuttosto pensare al periodo 1903-05.

Welsh (1966) cita, oltre al n. 116, un'ulteriore versione del tema in proprietà privata a Parigi, e un disegno nella collezione Slijper a Blaricum.

116. DRAGA. Dallas, Clark

ol/crt 63,4×75,5 f 1905 c.

Non catalogata da Seuphor; presentata alla mostra di Toronto (1966, n. 43). Si veda anche al n. 115.

117. CASA RUSTICA. L'Aia (?), Nieuwenhuizen Segaar

ol 35×45 1905

Riprodotta da Seuphor (1970, ill. n. 97).

118. FATTORIA SUL GEIN.
L'Aia, Gemeentemuseum

ol/crt 31×35 1905 c.

Non catalogata da Seuphor.

119. BOSCO AL TRAMONTO.
L'Aia, Gemeentemuseum (Slijper)

ol/crt 95×152 f 1900-05

Wijsenbeek (1968) l'assegna al 1906-07. Secondo Welsh (1966) il particolare dei due alberi verrà ripreso nei *Due alberi* al Gemeentemuseum del 1906 circa (n. 133).

120. VILLAGGIO OLANDESE.
L'Aia, Gemeentemuseum (Slijper)

ol/tl 32×38,5 1905 c.

121. PAESAGGIO

ol/tl 20,5×33 1905 c.

Già in proprietà Slijper a Blaricum; riprodotto in Seuphor (1970, ill. n. 47).

122. PAESAGGIO FLUVIALE.
Dobbs Ferry (New York), Cromelin

ol/tv 1905-06

123. CAMPI CON VACCHE.
L'Aia, Gemeentemuseum

ol/tl 31,5×44 1905-06

Già in proprietà Bruin-Reitsma. Non catalogato da Seuphor.

124. MULINO A VENTO. Belmont, Mead

ol/tl 65×80 1905-06

Nel periodo tra il 1900 e il 1911 il mulino a vento fu uno dei temi preferiti di Mondrian. Questa versione viene variamente datata. Seuphor la colloca attorno all'anno 1900, altri (Jaffé, Welsh), a nostro avviso a maggior ragione, la assegnano al periodo 1905-06, sia per la vicinanza stilistica con la *Fattoria a Duivendrecht* della collezione Bak (n. 151), sia perché una versione simile al dipinto in esame appare in una fotografia dell'*atelier* di Mondrian in Rembrandtplein n. 10, dove il pittore visse tra il 1905 e il 1906. "Assieme alla serie delle opere sul tema *Fattoria a Duivendrecht*, questo mulino a vento ben rappresenta l'arte di Mondrian in quel periodo: è notevole per l'attenta osservazione dei dettagli, per la sensibile e allusi-

112

115

116

118

113

119

120

122

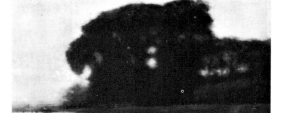

114

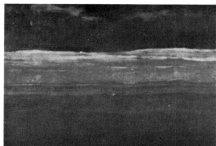

123

124

125

126

127

128

129

130

131

132

133

134

135

136

137

138

140

va resa pittorica della luce della sera e per l'atmosfera evocata" (Jaffé).

125. ALBERI SUL GEIN. L'Aia, Gemeentemuseum (Slijper)

ol/tl 45×66 1905-06 c.

Il tema degli alberi allineati che si specchiano nell'acqua di un fiume è uno tra i favoriti di Mondrian del periodo precubista. La versione in esame, datata 1900-05 da Seuphor, 1905-06 da Wijsenbeek (1968), sembra essere la prima di un gruppo di dipinti e disegni nei quali è raffigurata una compatta sequenza di undici alberi specchiantisi nell'acqua del Gein. "Tuttavia ogni dipinto può considerarsi un esperimento indipendente per raggiungere precisi effetti di luce, atmosfera e composizione, piuttosto che uno studio per un'altra versione. Nelle sue serie di singoli motivi di paesaggi, il debito di Mondrian, se vi fu, all'impressionista francese Claude Monet deve essere stato solo di natura generica. L'uso che

Mondrian fa delle serie comporta variazioni di composizioni e di conduzioni atmosferiche del tutto differenti dagli effetti mutevoli di luce e di tempo che Monet studiava a intervalli regolari nei suoi 'campi' e nelle facciate di cattedrali" (Welsh, 1966).

126. ALBERI SUL GEIN. Amsterdam, Smid-Verlee

ol/tl 27×48 f 1905-06

Non catalogato da Seuphor; presentato alla mostra di Toronto (1966, n. 31). Si veda al n. 125.

127. ALBERI SUL GEIN. New York, Green

ol/crt 54,5×73,6 f 1906

Non catalogato da Seuphor; esposto alla mostra di Toronto (1966, n. 32). Si veda al n. 125.

128. FATTORIA CON ALBERI. L'Aia, Gemeentemuseum (Slijper)

crt 30,5×39,5 1906 c.

Non catalogata da Seuphor.

129. PAESAGGIO CON FATTORIA. Amsterdam, Stedelijk Museum

ol/crt 64×74,5 1906 c.

Già in proprietà Slijper a Blaricum. Non catalogato da Seuphor.

130. PAESAGGIO CON ALBERI (Wondelpartr). L'Aia, Gemeentemuseum

ol/tl 47×35,5 f 1906 c.

Donato da W. Nohlen. Catalogato da Seuphor.

131. FATTORIA CON FRUTTETO E GALLINE. L'Aia, Gemeentemuseum (Slijper)

ol/tl 49×68,5 f 1906 c.

132. ALBERI IN FIORE. L'Aia, Gemeentemuseum (Slijper)

ol/tl 28×24 f 1906 c.

Non catalogato da Seuphor.

133. ALBERI. L'Aia, Gemeentemuseum (Slijper)

ol/crt 69,5×79 1906 c.

Wijsenbeek (1968) e Terpstra (1959) propongono una datazione intorno al 1907.

Nel medesimo museo è conservato un disegno di ugual tema.

134. ALBERI. L'Aia, Gemeentemuseum (Slijper)

ol/tl 43×48,5 1906 c.

Prossimo al n. 133.

135. PAESAGGIO VICINO A OELE [?]. L'Aia, Gemeentemuseum

ol/tl 102×180,5 f 1906 c.

Secondo Welsh (1966) il titolo si giustifica solamente se si intende il nome "Oele" come genericamente indicante un luogo della zona di Twente. Più esattamente il titolo potrebbe essere, sempre secondo Welsh, *Stagno vicino a Saasveld*. Si veda anche al n. 136.

136. STAGNO VICINO A SAASVELD. ... (Olanda), propr. priv.

ol/tl 52,5×73,5 f 1906 c.

Secondo quanto annota Welsh (1966), il dipinto fu sempre conosciuto dai proprietari con questo titolo. Che esso sia stato eseguito nella regione olandese di Twente, dove appunto si trova la località di Saasveld è stato provato dalla scoperta di un biglietto sul retro, dal quale si deduce che il quadro fu spedito da Hengelo, in Twente, allo studio di Mondrian ad Amsterdam. Il soggetto è lo stesso del n. 135.

137. ALBERI SULL'ACQUA. L'Aia, Gemeentemuseum (Slijper)

crt 63,5×76 f 1906 c.

Non catalogato da Seuphor.

138. ALBERI SULL'ACQUA. L'Aia, Gemeentemuseum (Slijper)

ol/tl 122×64 1906 c.

139. CRISANTEMO. New York, Holtzman

acq/crt 28,5×21 1906 c.

Riprodotto da Seuphor (1970, ill.

142

143

144

141

145

148

146

147

149

150

piante e di fiori degli ultimi preraffaelliti inglesi e sia pure tramite il gruppo di Toorop o in concomitanza con le espansioni preraffaellite in Olanda" (Ragghianti, 1962).

157. FATTORIA ISOLATA. L'Aia, Gemeentemuseum (Slijper)

ol/crt 63×73 f 1907 c.

Assegnata al 1903-05 dal Ragghianti (1962) che la accosta ai paesaggi di quel periodo, viene invece postdatata sia da Seuphor sia da Wijsenbeek (1968) e collocata intorno al 1907.

158. ALBERI SOTTO IL CIELO BLU. Dallas, Clark

ol/tl 45×36 f 1907 c.

Come nota Welsh (1966), l'uso antinaturalistico del colore con il prevalere dei blu e degli arancione fa collocare il dipinto in quel periodo di ampia sperimentazione che si colloca intorno al 1907.

159. L'AMSTEL DI SERA. L'Aia, Gemeentemuseum (Slijper)

ol/tl 32,5×42,5 f 1907

"Ha chiari caratteri di sintetismo compositivo e di condotta pittorica che presuppongono l'interesse per Munch" (Ragghianti, 1962). Si veda anche al n. 82.

160. CRISANTEMO. L'Aia, Gemeentemuseum

acq/crt 28,5×24,5 1907

Seuphor propone una data attorno al 1907, Wijsenbeek (1968) attorno al 1911.

161. AMARILLI. L'Aia, Gemeentemuseum

cb-gz 35×44 f 1907

Seuphor propone una datazione intorno al 1907; anche Ragghianti (1962) pone nel 1907 una fase di "disegni di amaryllis e di grappoli di mimosa nei quali domina una grafia sottile, duttile". Wijsenbeek (1968) invece l'assegna al 1909-10.

162. DUE DALIE. New York, Holtzman

acq/cb 24×21,5 f d 1907

Secondo Seuphor, che lo riproduce (1970, ill. n. 150), data e firma sono state apposte molto più tardi. Lo stesso Seuphor sottolinea il fatto che un secolo prima Hokusaï avesse dipinto dei fiori pressoché identici (Astri, Londra, British Museum).

163. DUE DALIE. New York, Holtzman

acq 22×19 f d 1907

Riprodotto da Seuphor (1970, ill. n. 151). Si veda anche al n. 162.

164. DALIA ROSSA. New York, von Wiegand

acq 30,5×23 f 1907

Riprodotta da Seuphor (1970, ill. n. 152).

165. CRISANTEMO. L'Aia, Gemeentemuseum

gz/crt 69×26,5 f 1906-08

Seuphor lo assegna al periodo 1906-08; Wijsenbeek (1968) propone una datazione attorno al 1909.

n. 134). "Amavo dipingere fiori; non mazzi, ma un sol fiore alla volta, in modo da poterne esprimere meglio la struttura plastica" (P. Mondrian, *Towards the true vision of reality*, 1942).

140. FATTORIA FRA GLI ALBERI. Vaucresson, Esser

ol/tl 31,5×44 1906 c.

Non catalogata da Seuphor; presentata alla mostra di Parigi (1969, n. 8).

141. FATTORIA A DUIVENDRECHT. L'Aia, Gemeentemuseum (Slijper)

ol/tl 46×59 f 1906-07

Non catalogata da Seuphor. Si veda al n. 151.

142. MULINO SUL GEIN AL CHIARO DI LUNA. L'Aia, Gemeentemuseum

ol/tl 99,5×125,5 f 1906-07

"Ho spesso dipinto al chiaro di luna [...] non ho mai dipinto romanticamente: all'inizio ero sempre realista" (P. Mondrian, *Towards the true vision of reality*, 1942).

143. MULINO SUL GEIN. New York, Allan Frumkin Gallery

ol/tl 99,6×125,7 f 1906-07

Non catalogato da Seuphor; esposto alla mostra di Toronto (1966, n. 42).

144. NOTTE D'ESTATE

ol/tl 31×43,1 1906-07

Già a New York, Allan Frumkin Gallery. Nonostante l'iscrizione a matita sul telaio ("Watergraafsmeer"), il sobborgo di

Amsterdam dove Mondrian andò ad abitare nel 1892) il soggetto, secondo Welsh (1966) è più probabilmente una veduta del fiume Amstel o del Gein. Lo stesso studioso suggerisce la connessione con il più grande dipinto di ugual tema del 1907-08 circa (si veda al n. 177).

145. ALBERI SUL FIUME. L'Aia, Gemeentemuseum

ol/crt 25,5×38,5 f 1906-07

Abbozzo. Datato da Seuphor 1902, da Wijsenbeek (1968) 1906-07; si ricollega ai n. 125-127.

146. MULINO A VENTO E ALBERI. New York, Stephen Hahn Gallery

ol/crt 62,5×38,7 f 1907 c.

Già nella collezione Slijper, a Blaricum. Non registrato da Seuphor; esposto alla mostra di Toronto (1966, n. 37).

147. MULINO A VENTO E ALBERI VICINO A SAASVELD. L'Aia, Gemeentemuseum (in prestito da W. Nolen)

ol/tl 75×63 f 1907 c.

148. ALBERI SUL FIUME. Monte Quiesa, Hart Nibbrig

ol/crt 66×78,7 f d 1907

Sebbene sia stato conosciuto per anni come *Amstel* dalla famiglia che lo possiede, secondo Welsh (1966) sarebbe in realtà una veduta del fiume Gein.

149. ALBERI SUL GEIN. L'Aia, Gemeentemuseum (Slijper)

ol/tl 100×136 f d 1907

Non catalogato da Seuphor. Si veda al n. 100.

150. PAESAGGIO CON PONTE E CONTADINO. L'Aia, Gemeentemuseum

acq/crt 41×56 f 1907 c.

Riferito da Seuphor al 1900-05; secondo Wijsenbeek (1968) databile attorno al 1907.

151. FATTORIA A DUIVENDRECHT. L'Aia, Bak

ol/tl 89×116 1907 c.

Tra il 1906 e il 1908 Mondrian esegue numerosi disegni (alla foto 151[1] si dà l'esemplare a gessetto, 12×22 conservato al Gemeentemuseum dell'Aia), e dipinti (si veda anche al n. 141) riprendendo la medesima fattoria. In questa tela il sentimento di sottile angoscia di un'atmosfera crepuscolare ("preferivo dipingere paesaggi e case, viste in un tempo grigio e scuro") nella cui ombra emergono le forme, viene superato dall'interesse tutto razionalistico per la composizione. È ancora il motivo del soggetto riflesso nell'acqua analizzato anche nella serie degli alberi sul Gein. "Immagine cioè bivalente, sdoppiata su un unico piano, quasi senza articolazione di profondità. Il piano prospettico è quasi completamente ribaltato, la visione si sviluppa tutta sulla superficie" Calvesi, 1957).

152. FATTORIA A DUIVENDRECHT. Amsterdam, Rabbie-Wuyk

cb-mt-gz/crt 43×76ʹ f 1907

Secondo Welsh (1966) pur mostrando un naturalismo dettagliato a paragone di molte versioni apparentemente più tarde dello stesso tema, rivela tuttavia uno schema compositivo allungato orizzontalmente, tipico di molte opere del periodo dei *Paesaggi di sera*. L'uso delle linee orizzontali per le zone del cielo e della terra si ritrova anche in un disegno al Gemeentemuseum che Welsh considera contemporaneo all'opera in esame (si veda la foto 151[1]).

153. ALBERI SULL'ACQUA. L'Aia, Gemeentemuseum (Slijper)

ol/tl 75×120 1907 c.

Nonostante il Ragghianti (1962) proponga una data intorno al 1900, sembra senz'altro da accostare ai paesaggi intorno al 1907-08.

154. ALBERI SULL'ACQUA. ... (Svezia), propr. priv.

ol/tl 1907 c.

Riprodotto da Seuphor (1970, ill. n. 52). Prossimo al n. 153.

155. ALBERI SULL'ACQUA. L'Aia, Gemeentemuseum (Slijper)

ol/tl 76×135,5 f 1907 c.

Non catalogato da Seuphor.

156. CRISANTEMO

ol/tl 50×38 1907

Già in proprietà Holtzman a New York. "Vi domina una grafia sottile, incisiva, dettagliata, esemplificata certamente sugli analoghi studi predecorativi di

166. CRISANTEMO. L'Aia, Gemeentemuseum

acq/crt 72,5×38,5 f 1906-08

Riferito da Seuphor al 1906-08; Wijsenbeek (1968) propone una datazione più tarda (1909 c.).

167. FATTORIA ISOLATA

acq/crt 44×58 1906-08

Già in proprietà Slijper a Blaricum. Riprodotta da Seuphor (1970, ill. n. 98).

168. COVONI. L'Aia, Gemeentemuseum (Slijper)

ol/tl 66×76 f 1907-08(?)

Non catalogato da Seuphor.

169. CIELO DI SERA. Amsterdam, Kunsthandel Monet

ol/crt 64×74 1907-08

Non catalogato da Seuphor; esposto alle mostre di Toronto (1966, n. 38) e New York (1971, n. 18). Mondrian ritornò spesso su questo tema, soprattutto nel periodo 1907-08. Secondo Terpstra (1958-59) e Welsh (1966) il dipinto in esame fu eseguito molto probabilmente nella campagna vicino a Oele, e spedito, con una decina circa di altri schizzi a olio, dalla città di Hengelo in Overijssel all'indirizzo di Mondrian ad Amsterdam, in Albert Cuypstratet n. 272 (tale recapito egli mantenne dal 28 giugno 1906 al 6 gennaio 1908); effettivamente questo e molti altri schizzi analoghi sembrano ritrarre la campagna dell'Olanda orientale piuttosto che i piatti campi intorno ad Amsterdam. Naturalmente, determinare ciò è importante solo ai fini

della datazione, dal momento che in Mondrian è chiaramente preminente l'interesse per i valori della composizione, del colore, della luce e dell'atmosfera.

170. IN RIVA AL MARE. Minneapolis, Dayton

ol/crt 40×45,5 f 1907-09

Non catalogato da Seuphor; presentato alla mostra di Basilea (1964-65, n. 19), di Parigi (1969, n. 13) e di New York (1971, n. 30).

171. ALBERI SUL GEIN AL CHIARO DI LUNA. L'Aia, Gemeentemuseum

ol/tl 79×92,5 1907-08

Precedentemente nella collezione van den Briel. Seuphor lo assegna al 1902. In realtà soprattutto l'uso antinaturalistico del colore, lo schema compositivo (la riduzione del numero degli alberi in fila e la semplificazione del tratto rispetto alla versione del 1905-06 del Gemeentemuseum [n. 125], la visione ancor più sviluppata della superficie) indicano una datazione intorno al 1907-08. Mondrian stesso pare dare indirettamente una spiegazione a questo dipinto (Jaffé, 1970) in un passo del dialogo *Natuurlijke en abstracte realiteit*, in cui trattando del tema del paesaggio con alberi al chiar di luna, afferma che poiché le apparenze delle forme naturali cambiano con la luce notturna, queste forme producono su chi le osserva una profonda impressione, paragonabile all'emozione prodotta dai mosaici bizantini.

Nello stesso museo è conservato un disegno analogo (cb, 63×75; foto 171[1]).

172. GIRASOLE MORENTE. L'Aia, Gemeentemuseum (Slijper)

ol/crt 65×34 1907-08 c.

Nella sequenza dei dipinti di tema floreale, si inserisce (come l'altra versione dello stesso museo, n. 173) in una fase, successiva a quella contraddistinta da un maggior interesse grafico, "in cui il segno si semplifica prevalendo il bisogno di realizzare le forme sintetiche, esigenza che la costruzione sintetica dei profili e delle masse coincidesse con l'espressione cromatica, ed ecco l'accostamento a Munch nei *Crisantemi morenti* della collezione Slijper o nei girasoli" (Ragghianti, 1962).

173. GIRASOLE MORENTE. L'Aia, Gemeentemuseum (Slijper)

ol/crt 63×31 f 1907-08

Versione prossima al n. 172, cui si rimanda. Datata da Seuphor intorno al 1910; la datazione più precoce proposta da Terpstra, Wijsenbeek e Ragghianti sembra più plausibile.

174. PAESAGGIO INVERNALE. Nimega, Dobbelman

ol/tl 35,5×61,5 f 1907-08

Già in proprietà Niebor van Hasen (1910); quindi alla Gallery d'Eendt, Amsterdam (1963); acquistato nel giugno 1963 dal proprietario attuale. È pertinente l'accostamento proposto dal

Ragghianti (1962) alla *Fattoria a Duivendrecht* del Gemeentemuseum (n. 186); entrambi partecipano a un momento in cui l'interesse grafico è preminente. Welsh sottolinea l'importanza dell'opera in esame nello sviluppo della pittura di Mondrian; l'albero sulla sinistra infatti risulta in evidente connessione con gli studi sull'albero che l'artista iniziò nel 1908; in particolare, i contorni sono stilizzati e appiattiti in maniera simile a quelli dell'*Albero rosso* (n. 206).

175. PAESAGGIO INVERNALE CON FATTORIA

ol/tl 1907-08

Citata da Welsh (1966) come versione variata del n. 174.

176. NUVOLA ROSSA. L'Aia, Gemeentemuseum

Non catalogata da Seuphor; esposta alle mostre di New York (1971, n. 21) e Berna (1972, n. 26). Donata da Mondrian all'amico A.P. van den Briel. "Qui possiamo vedere la padronanza che Mondrian, a trentacinque anni, ha raggiunto nell'uso dei mezzi pittorici [...]. Egli ha scoperto il colore e capito che la sua potenza può distruggere un equilibrio precedentemente raggiunto [...]. È il colore, come valore emozionale indipendente, che domina questo dipinto e pone la sua impronta su di esso" (Jaffé, 1970).

177. PAESAGGIO AL CHIARO DI LUNA. L'Aia, Gemeentemuseum (in prestito da J. Gosschalk)

ol/tl 71×112 1907-08 (?)

Il titolo deriva dall'identificazione del dipinto con *Zomernacht*, l'unica opera che Mondrian inviò alla mostra di "Arti" dell'aprile-maggio 1907. Tale identificazione pare molto probabile (Welsh) alla luce di quanto nella sua recensione, scrisse allora il critico e amico di Mondrian, Conrad Kickert ("De Telegraaf", 13 aprile 1907): "Piet Mondrian: un sogno di una notte d'estate. Una luna velata di nebbia su un alto albero lungo l'acqua. Il tono è argenteo bianco-purpureo. Il cupo alone purpureo intorno alla luna dorata è indipendente in tono e non ha né delineazione né spazio intorno". La descrizione sembra corrispondere al dipinto del Gemeentemuseum, ma soprattutto (Welsh, Ragghianti) caratterizza in generale una fase della produzione di Mondrian tra il 1907 e il 1908, in cui, in atmosfere intensamente sentite, spesso gli oggetti naturali si dissolvono in immagini vaghe che ricordano l'esperienza di Munch e di Hodler (si vedano per esempio l'*Amstel di sera*, n. 159, e *Alberi sul Gein al chiaro di luna*, n. 171).

178. CRISANTEMO MORENTE. L'Aia, Gemeentemuseum

ol/tl 84,5×54 f 1908

Martin S. James individua nell'Art Nouveau e nel movimento simbolista le radici culturali e artistiche della serie dei crisantemi morenti di Mondrian. Welsh vi vede invece il riflesso del crescente interesse di

151

151[1]

152

156

153 [Tav. VI]

155

159

157

158

160

161

165

166

Mondrian per il pensiero teo-sofico, nel quale è presente il tema del dualismo vita-morte, giorno - notte, natura - spirito. Sempre secondo Welsh, quest'opera è da identificare probabilmente con quella dal titolo *Metamorfosi*, presentata nell'estate del 1909 a Bruxelles, un'indicazione che la morte non implica necessariamente un contenuto negativo. Secondo un'analisi posteriore di Mondrian stesso (riportata da A. de Meester-Obreen in "Elsevier's Gëillustreerd Maandschrift", XXV, 1915) la morte di questo fiore può essere interpretata come il simbolo della morte di una concezione ancora fondamentalmente naturalistica dell'arte e della sua reazione contro l'attrazione della bellezza esteriore delle cose.

179. CRISANTEMO MORENTE. Washington, Lloyd Kreeger

acq 94,6×36,8 f 1908

Non catalogato da Seuphor; presentato alla mostra di New York (1971, n. 25).

180. CASTELLO IN ROVINA A BREDERODE. Dallas, Clark

ol/crt 62,2×72,3 f 1908 c.

Non catalogato da Seuphor; esposto alla mostra di Toronto (1966, n. 49).

181. ALBERI SUL GEIN

acq/crt 62×48 1908 c.

Già in proprietà Slijper a Blaricum. Riprodotto da Seuphor (1970, ill. n. 66).

182. FATTORIA A DUIVENDRECHT. Haarlem, Frans Halsmuseum

acq/crt 49×64 1908 c.

Riprodotta da Seuphor (1970, ill. n. 118). Per il tema, si veda al n. 151

183. FATTORIA A DUIVENDRECHT. L'Aia, Gemeentemuseum

acq/crt 51×65,5 f 1908 c.

Seuphor e Ragghianti (1962) sono concordi nel datarla attorno al 1908, mentre Wijsenbeek (1968) la anticipa al 1905-06. Si veda anche al n. 151.

184. FATTORIA A DUIVENDRECHT. New York, Sidney Janis Gallery

ol/tl 1908

Per il tema si veda al n. 151.

185. FATTORIA A DUIVENDRECHT. Laren, Diamant

ol/tl 85×100 1908 c.

Riprodotta in Seuphor (1970, ill. n. 119). Per il tema si veda al n. 151.

186. FATTORIA A DUIVENDRECHT. L'Aia, Gemeentemuseum (Slijper)

ol/tl 87×109 1908

Rispetto alle precedenti versioni del tema (per cui si veda anche al n. 151) è accentuato l'interesse grafico.

187. RIMORCHIATORE ORMEGGIATO SULL'AMSTEL. Parigi, propr. priv.

acq/crt 78×170 f 1908 c.

Secondo quanto afferma Welsh (1966), che si tratti dell'Amstel è dimostrato da una vecchia fotografia di un rimorchiatore a vapore sull'Amstel, dietro il quale si scorge la torre-serbatoio d'acqua, ora distrutta, che appare nel dipinto.

188. PARTENZA PER LA PESCA SULLO ZUYDERZEE. Marsiglia, propr. priv.

acq/crt 63×100 f 1908 c.

Riprodotta da Seuphor (1970, ill. n. 127).

189. LA FINE DEL GIORNO. Vaucresson, Esser

ol/tl 56,5×76 1908 c.

Non catalogato da Seuphor; presentato alla mostra di Parigi (1969, n. 12).

190. PAESAGGIO DI SERA. L'Aia, Gemeentemuseum

ol/tl 64×93 1908 c.

Donato al museo da Conrad Kickert. Assegnato da Seuphor al 1904, viene spostato al 1908-1909 dal Ragghianti (1962) che riferisce al periodo 1908-10 un gruppo di dipinti in cui è evidente la suggestione dell'opera di Munch. Mondrian raggiunge in questa tela un effetto di sottile angoscia, soprattutto con l'uso di un colore che tende al monocromo, un drammatico blu predominante, accostato a pochi tocchi di malva e di grigio.

191. PAESAGGIO NOTTURNO. Kelowna, Ootmar

ol 34,5×49 1908

Il motivo del *Paesaggio di sera* al Gemeentemuseum (n. 190) viene qui ripreso con effetti che fanno, pensare a Van Gogh (Seuphor).

192. ALBERI SUL GEIN. Heino, Stichting Hannemade Stuers Fundatie (Kasteel Het Nijenhuis)

ol/tl 69×112 f 1908

Non catalogato da Seuphor; apparso alle mostre di Parigi (1969, n. 17) e New York (1971, n. 33). Interessante l'uso del colore: un drammatico rosso intenso e blu per gli alberi e il cielo, giustapposti a naturalistici marroni e verdi della zona inferiore del dipinto. In alcune zone è usata la tecnica divisionista. Per il tema si veda al n. 125.

193. RITRATTO DI DONNA. L'Aia, Gemeentemuseum

acq 89×50 f 1908 (?)

Seuphor dà dimensioni diverse (64×46) da quelle indicate dal catalogo dei Mondrian del Gemeentemuseum (1968); inoltre propone una datazione più precoce (1902).

194. DEVOZIONE. L'Aia, Gemeentemuseum

ol/tl 94×61 f 1908

Mondrian (Welsh, 1971) reagì insistentemente contro l'interpretazione del critico I. Querido, il quale dopo la mostra del 1909 aveva descritto l'opera come raffigurante una bambina in preghiera, e affermò invece che la bambina rappresentava il concetto di "devozione". Secondo l'artista, l'uso antinaturalistico del rosso nel dipinto avrebbe lo scopo di distogliere l'attenzione dell'osservatore dalla realtà materiale della bambina.

195. LE DUE SORELLE. Amsterdam, Bautzinger - Wiedenhoff

ol/tl 75×64 f 1908

La data 1908 proposta da Seuphor è accettata anche dal Ragghianti che, inoltre, indica la derivazione dell'opera da Matthijs Maris e Jan Toorop, e osserva come l'albero spoglio dai rami contorti, nel fondo a sinistra, ci riporti agli anni attorno al 1907-1908. Welsh propone invece l'identificazione con l'opera dal titolo *Lente Idylle* esposta alla mostra dell'Accademia di San Luca ad Amsterdam nella primavera del 1901, dal momento che tale titolo appare scritto a matita sul rovescio del supporto. Per soggetto e per stile appare molto vicino alla *Bambina* del Gemeentemuseum (n. 196) che probabilmente ritrae una delle due sorelle del dipinto in esame.

168

169

170

171 [Tav. IV-V]

171¹

172

173

174

175

176 [Tav. VII]

177

178 [Tav. VIII]

179

180

187

189

183

184

186

190 [Tav. XII-XIII]

191

192 [Tav. XI]

196. BAMBINA. L'Aia, Gemeentemuseum (Slijper)

ol/tl 53×44 f 1908

Già in proprietà de Vries, quindi Slijper a Blaricum. Si veda anche al n. 195.

197. PASSIFLORA. L'Aia, Gemeentemuseum

acq/crt 72,5×47,5 1908

Iscrizione verticale sul lato destro, in basso: "Passiebloem". Seuphor indica dimensioni diverse (69×42) e assegna l'opera al 1903-04; una data ancora più precoce è indicata dal catalogo della mostra di New York (1971, n. 12) mentre Ragghianti propone il 1907-08.

In rapporto con l'opera in esame (ma, secondo Wijsenbeek, più direttamente riferibile al n. 245) è lo studio di donna (mt 86×42; foto 197¹) del Gemeentemuseum dell'Aia.

198. DONNA IN PROFILO E RAGAZZO. L'Aia, Gemeentemuseum (Slijper)

ol/tl 34×31,5 f 1908(?)

Studio. Non catalogata da Seuphor.

199. BOSCO A OELE. Amsterdam, Kunsthandel M.L. de Boer

ol/crt 63×72 1908

Secondo Welsh (1966), sarebbe servito da modello per la tela finale (n. 200). Lo studio, dipinto in toni di bruno, malva e verde su un pezzo di cartone marrone facilmente trasportabile, sarebbe (Welsh) uno dei molti studi a olio eseguiti *en plein air* e spediti per treno da

Hengelo alla residenza di Mondrian in Amsterdam.

200. BOSCO A OELE. L'Aia, Gemeentemuseum (Slijper)

ol/tl 128×158 1908

Welsh (1966) riferisce la testimonianza di A.P. van den Briel che, in visita a Mondrian a Oele, lo avrebbe trovato impegnato a lavorare a questa tela. Secondo Blok invece non fu eseguita a Oele, ma nello studio di Amsterdam: per la stesura l'artista si sarebbe servito come modello di una più piccola versione a olio (n. 199). Il dipinto fu probabilmente presentato alla mostra di Amsterdam del 1909 allo Stedelijk Museum; ad esso, citandolo con il titolo *May Morning*, si riferiva forse (Welsh, 1966) la favorevole recensione del critico Israel Querido ("De Controleur", 23 ottobre 1909), che descriveva il contenuto simbolico dell'opera come la vittoria delle forze cosmiche della luce su quelle del timore e dell'oscurità. Mondrian rispose dichiarandosi soddisfatto dell'interpretazione di Querido. Stilisticamente il dipinto testimonia della suggestione esercitata su Mondrian dalle esperienze dell'Art Nouveau (le linee verticali ondulate e vibranti) e *fauve* (i colori fortemente dissonanti), nonché dell'espressionismo di Munch.

201. MULINO AL SOLE. L'Aia, Gemeentemuseum (Slijper)

ol/tl 114×87 f 1908

Esposto (n. 52) allo Stedelijk Museum di Amsterdam nella

mostra del gennaio 1909. Qui, Mondrian usa una tecnica divisionista, a grandi tasselli di colore. Sulla base di un'affermazione dell'artista del 1943 ("Nello svolgersi della cultura, la determinazione spaziale si afferma non solo mediante strutture e forme, ma anche con i mezzi materiali della pittura, pennellate, quadretti o punti di colore"), secondo Calvesi (1966) si potrebbe attribuire un'interpretazione spaziale al motivo: attorno al mulino lo

spazio si allarga e si contrae, si ritira in profondità e si dilata in superficie nel respiro alterno di questa irradiante maglia di tasselli colorati, che fonde in unico piano il cielo e lo specchio d'acqua.

202. MULINO AL SOLE. Dallas, Clark

ol/tl 43,8×34,3 1908

Versione prossima al n. 201. Non catalogato da Seuphor; esposto alla mostra di New York (1971, n. 28).

203. CRISANTEMI. L'Aia, Gemeentemuseum (Slijper)

ol/crt 45,5×33 1908(?)

Seuphor l'assegna al periodo 1908-10, mentre secondo Wijsenbeek (1968) è da collocarsi verso il 1903-07.

204. CRISANTEMO. L'Aia, Gemeentemuseum

acq 28,5×20,5 1908 c.

205. CHIESA IN ZELANDA. New York, Lewyt

193

194 [Tav. IX]

197

197¹

195

196

198

199

200 [Tav. XIV]

201 [Tav. X]

202

203

205

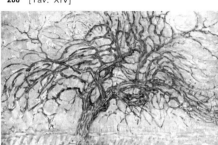

206 [Tav. XXVIII-XXIX]

206¹

204

ol/tl 62×69 1908

Tema ripreso più volte in seguito.

206. ALBERO ROSSO. L'Aia, Gemeentemuseum

ol/tl 70×99 f 1908

Prevalentemente datato intorno al 1909-10; Wijsenbeek, Welsh e Blok concordano nel proporre il 1908, ipotesi convalidata dal fatto che l'opera fu esposta allo Stedelijk Museum di Amsterdam nel gennaio 1909. Argan lo vede come uno studio diretto della pittura di Van Gogh; Calvesi (1966) osserva che per Mondrian l'albero è un tema a suo modo simbolico, la ramificazione è ramificazione nello spazio, è spazio che si propaga in tutte le direzioni, ma è anche "tragico" contrasto di spazio e materia, squilibrio angoscioso di forme "limitate" e di spazio illimitato. Nell'opera in esame è ancora drammatico conflitto di indefinita sfericità e di lineare continuità. Per Jaffé, la dimensione spaziale della profondità è suggerita dal colore, dal blu cupo che Vincent van Gogh iden-

tificava con l'infinito. Tale uso del colore, l'intenso e suggestivo contrasto di rosso e blu hanno un significato non puramente descrittivo, ma soprattutto simbolico ed evocativo.

Diretto precedente del dipinto può considerarsi il disegno intitolato *Albero* della collezione Heybrock a Hilversum (cb, 32×49; Seuphor, 1970, ill. n. 170), in cui Ragghianti rileva il palese ricordo del grafismo vangoghiano, e forse la più lontana reminiscenza della *Quercia* di Théodore Rousseau. Altro disegno di ugual tema è conservato al Gemeentemuseum (mt, 31×44; foto 206¹).

207. BICHE. New York, Thaw

ol/tl 34×44 1908-09

Appartiene a un gruppo di tre dipinti raffiguranti lo stesso soggetto in condizioni di luce diverse (n. 207-209). Furono esposti come un tutto unico alla mostra del 1909 ad Amsterdam, presso lo Stedelijk Museum. Nella sua recensione un critico olandese, W. Seenhoff ("De Amsterdammer", 31 gennaio 1909) scrisse allora che "formavano un cerchio" e che erano resi "come oggetti nella loro apparenza mutevole a seconda di tre differenti condizioni di tempo".

208. BICHE. Kelowna, Ootmar

ol/tl 34,2×43,8 1908-09

Si veda al n. 207.

209. BICHE. New York, Sidney Janis Gallery

ol/tl 34×44 c. 1908-09

Si veda al n. 207.

210. FARO A WESTKAPELLE. L'Aia, Gemeentemuseum (Slijper)

ol/tl 135×75 f 1909

Il faro di Westkapelle fu uno dei temi preferiti di Mondrian durante il soggiorno a Domburg e vi si esercitò sperimentando una grande varietà di tecniche. Questa versione è decisamente espressionista: Mondrian evidenzia l'incombente monumentalità della torre-faro, e con tratti marcati ne sottolinea la struttura massiccia.

Nello stesso museo è conservato un disegno (30×24,5; foto 201¹) di ugual tema.

211. FARO A WESTKAPELLE. L'Aia, Gemeentemuseum

ol/tl 71×52 f 1909 c.

Wijsenbeek (1968) e Jaffé lo collocano nel 1908, considerandolo la prima versione del tema e ne rilevano la connessione stilistica con *Bosco a Oele* (n. 200), in entrambe le opere essendo chiara la suggestione dell'esperienza artistica di Munch. Ragghianti (1962) propone la data 1909; Seuphor il 1910.

212. RITRATTO DI FANCIULLA. L'Aia, Gemeentemuseum (Slijper)

ol/tl 49×41,5 1909 c.

213. MARE AL TRAMONTO. L'Aia, Gemeentemuseum (in prestito da A.P. van den Briel)

ol/crt 62,5×74,5 f 1909

Significativo di un momento di passaggio ben analizzato da Seuphor (1956): "Si può seguire molto bene la lenta evoluzione del tema del mare dal 1909 al 1915. Si parte da disegni ancora naturalistici presi dall'alto di una duna, con la prospettiva della spiaggia dove i frangi-flutti che si seguono a in-

tervalli regolari tracciano linee nere orizzontali, esse stesse composte di piccoli tratti orizzontali e assomiglianti, nel gioco della prospettiva che li rende compatti, a una piccola foresta che si protende nel mare. Nei suoi *carnets de notes* Mondrian spiega che la linea dell'orizzonte simboleggia il riposo, che gli allineamenti di punti neri, formanti degli orizzontali regolari, 'non sono il riposo, ma indicano la direzione del riposo'. Questa direzione è la continuazione della breve verticale di punti fino all'incrocio della linea dell'orizzonte; ciò darebbe con l'angolo retto così ottenuto, il riposo completo dell'immagine, cioè 'maschile e femminile, elemento spirituale e elemento materiale formanti insieme l'unità' ".

214. SPIAGGIA A DOMBURG. L'Aia, Gemeentemuseum (Slijper)

ol/crt 41×76 " f 1909

Si veda al n. 213.

215. MARINA AL TRAMONTO. L'Aia, Gemeentemuseum (Slijper)

ol/crt 34,5×50,5 f 1909 c.

Giunto sull'isola di Walcheren, Mondian entrò in contatto diretto con una natura incontaminata e sconfinata (il mare, la spiaggia); l'impressione che questa esperienza produsse sull'animo dell'artista fu certamente profonda, ed egli la tradusse in una nutrita serie di disegni e dipinti sul tema del mare e delle dune. "La dimensione fisica dello spazio, sperimentata nel moto ondulatorio dell'acqua, è il tema della marina: creste di linee gialle alternate e sovrapposte a strisce azzurro torbido di mare, sottili al culmine, poi sempre più spesse fino al dilagante primo piano, dove dondolano leggerissime tacche di rosso e di verde incrociate con scatti sottili, quasi a commentare, più che il respiro, il flusso meccanico di uno spazio infinito attratto ritmicamente in superficie" (Calvesi, 1957).

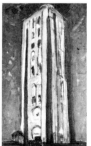

207

208

209

210 [Tav. XV]

210¹

211 [Tav. XVI]

212

216. DUNE E MARE. ... (Olanda), propr. priv.

ol/crt 28,5×38,5 1909 c.

Non catalogato da Seuphor; presentato alla mostra di Toronto (1966, n. 58). Si veda anche ai n. 213 e 215.

217. DUNA I. L'Aia, Gemeentemuseum

ol/tl 30×40 f 1909 c.

Seuphor la colloca nel periodo dal 1907 al 1910; Wijsenbeek (1968), così come il catalogo della mostra di New York (1971, n. 36), l'assegna al 1909. Si veda anche ai n. 213 e 215.

218. DUNA II. L'Aia, Gemeentemuseum (Slijper)

ol/tl 37,5×46,5 1909

Si veda ai n. 213 e 215.

219. DUNA III. L'Aia, Gemeentemuseum

ol/tl 29,5×39 f 1909

Negli stessi anni in cui dipinge anche i suoi quadri 'espressionistici', Mondrian usa la tecnica divisionista (il colore però è disposto a tasselli che si incastrano l'uno nell'altro come tessere di un mosaico) per indagare l'intima struttura delle cose, restituendo di esse un'immagine ferma, bloccata in una definizione plastica, già di natura geometrica (Menna, 1962). Si veda anche ai n. 213 e 215.

220. DUNA (Variazione). Dallas, Clark

ol/crt 28×38,1 f 1909

Non catalogata da Seuphor; presentata alla mostra di New York (1971, n. 38). Si veda anche ai n. 213 e 215.

221. MULINO A DOMBURG. L'Aia, Gemeentemuseum

ol/crt 63,5×76,5 f 1909

Già in proprietà van den Briel. Raffigura l'unico mulino a vento esistente a Domburg, dove Mondrian soggiornò periodicamente dal 1908 al 1912 e probabilmente nel 1914. Secondo Welsh (1966) i colori antinaturalistici indicano l'accetta-

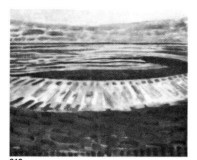
213

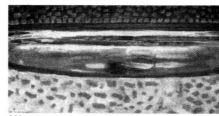
214

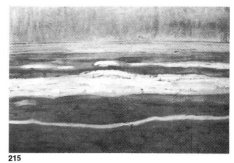
215

216

217

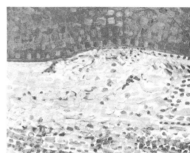
218 [Tav. XVIII]

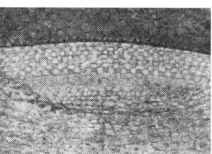
219

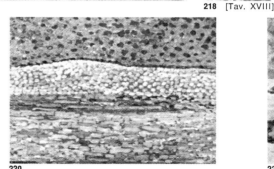
220

221

zione da parte di Mondrian dei modi della pittura francese contemporanea, ma la pennellata piatta e uniforme, la tonalità blu dominante, la luce erano già preannunciate nelle opere del periodo dei paesaggi serali.

222. ALBERO BLU. New York, Kaufmann

ol/tl 63,5×71,7 1909 c.

Non catalogato da Seuphor; presentato alla mostra di New York (1971, n. 31). Si veda anche ai n. 206 e 225.

223. ALBERO

ol/tl 55,5×74,5 1909-10

Già a Kelowna in proprietà Ootmar. Passato all'asta Sotheby-Parke Bernet a New York, 2-V-1974. Si veda anche ai n. 206 e 225.

224. L'ALBERO BLU. L'Aia, Gemeentemuseum

china-acq 75,5×99,5 f 1909-10

Si veda ai n. 206 e 225.

225. ALBERO BLU. Dallas, Clark

ol/crt 55,5×74,5 f 1909-10

Osserva giustamente Menna (1962) che "nel gruppo di alberi (disegni e dipinti) eseguiti da Mondrian attorno al 1910, l'artista procede ad una integrazione progressiva tra oggetto e spazio circostante, il quale viene rappresentato prima come una quinta calata alle spalle degli alberi e poi sempre più implicato in questi, disintegrato e infine imprigionato nella fitta rete dei rami. Mondrian tende quindi alla distruzione dello spazio naturalistico, ma per ora si accontenta di ingabbiarlo in una trama a-

stratta di linee, appunto per bloccarne le potenzialità dinamiche e 'tragiche' derivanti dal suo vario e mutevole apparire".

226. DUNE E MARE

ol/tl 45,5×67 1909-10

Già in proprietà Slijper a Blaricum. Riprodotto da Seuphor (1970, ill. n. 210). Si veda ai n. 213 e 215.

227. DUNA IV. L'Aia, Gemeentemuseum (Slijper)

ol/crt 33×46 1909-10

Si veda ai n. 213 e 215.

222

223

224 [Tav. XXVI]

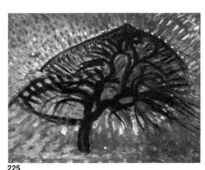
225

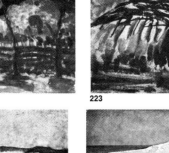
227

228 [Tav. XIX]

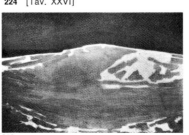
229

232

233

234

236 [Tav. XVII]

237

238

235 [Tav. XX]

239

239 bis

240

241

228. DUNA V. L'Aia, Gemeentemuseum

ol/tl 65,5×96 1909-10

Già in proprietà Bruin-Reitsma. Secondo Blok si tratterebbe dell'opera *Estate, duna in Zelanda* della mostra della società artistica di San Luca ad Amsterdam del 1910 (n. 479), in vendita per la somma di 1000 fiorini olandesi, e citata nelle recensioni sull'"Algemeen Handelsblad", e sul "Telegraaf" del 6 maggio 1910. Si veda anche ai n. 213 e 215.

229. DUNA VI. L'Aia, Gemeentemuseum (Slijper)

ol/tl 134×195 f 1910 c.

Secondo Blok si tratterebbe di una versione di poco posteriore a *Duna V*, forse esposta al Salon des Indépendants del 1911 o alla mostra del Moderne Kunstkring di Amsterdam dello stesso anno. Si veda anche ai n. 213 e 215.

230. DUNA. L'Aia (?), Nieuwenhuizen Segaar

ol/crt 33×43 1910 c.

Riprodotta da Seuphor (1970, ill. n. 212). Si veda ai n. 180 e 182.

231. SPIAGGIA A DOMBURG. Oosterbeek, Donk

ol/tl 32,5×42,5 1910 c.

Riprodotta da Seuphor (1970, ill. n. 208). Si veda ai n. 213 e 215.

232. PAESAGGIO CON DUNE. L'Aia, Gemeentemuseum (Slijper)

ol/tl 141×239 f 1910

Si veda ai n. 213 e 215.

233. CAMPANILE DELLA CHIESA DI DOMBURG. L'Aia, Gemeentemuseum (Slijper)

ol/crt 36×36 f 1910 c.

Il fatto che Mondrian in questi anni ritorni insistentemente sui temi delle marine, del faro di Westkapelle e del campanile di Domburg, osserva Calvesi (1957), può essere interpretato in senso spaziale: sono i due poli costanti della sua ricerca sperimentale, la profondità e l'altezza. Qui l'albero in primo piano "svetta più alto del campanile; non c'è nessun effetto di scorcio prospettico, anzi i due oggetti sono piattamente giustapposti, ma il confronto delle loro dimensioni deve servire di riprova dello spessore di profondità che queste pure indicazioni di altezza riassumono in sé" (Calvesi).

234. CHIESA A DOMBURG. L'Aia, Gemeentemuseum (Slijper)

ol/tl 75×65 f 1910 c.

Si veda al n. 233.

235. CHIESA A ZOUTELANDE. Montreal, Lambert

ol/tl 90,5×62 f d 1910

236. FARO A WESTKAPELLE. L'Aia, Gemeentemuseum (Slijper)

ol/crt 39×29,5 f 1909-10

Mondrian ritorna sul motivo del faro di Westkapelle: anche qui "mostra di essere ancora preso dalla monumentalità dell'edificio, che egli ricostruisce per via di colore con larghe pennellate, che montano lentamente ma poderosamente verso l'alto. L'edificio, nonostante l'accenno ad una tridimensionalità della struttura, campeggia ancora una volta senza stacchi sul fondo azzurro del cielo, dove linee rosse, verticali e orizzontali formano una ingabbiatura, più o meno serrata, che sembra voler imprigionare lo spazio e invece gli dà una vibrazione quasi atmosferica" (Menna, 1962).

237. FARO A WESTKAPELLE. Milano, Jucker

ol/tl 39×29 f 1910 c.

Si veda al n. 236.

238. FARO A WESTKAPELLE. L'Aia, Gemeentemuseum (Slijper)

ol/tl 45×35,5 f 1910

Si veda al n. 236.

239. CALLA. L'Aia, Gemeentemuseum (Slijper)

ol/tl 46×32 f

Già in proprietà Hannaert, quindi Slijper a Blaricum. Presente alla mostra dell'Accademia di San Luca ad Amsterdam, nel 1910 (n. 485).

239 bis. CALLE. L'Aia, Gemeentemuseum (Slijper)

ol/tl 50×33,5 f 1910

Fu presentato alla mostra dell'Accademia di San Luca ad Amsterdam nel 1910 (n. 494), e a Domburg nel 1912.

240. CASA RUSTICA. L'Aia, Gemeentemuseum

ol/tl 52,5×68 f d 1910

241. CONTADINO ZELANDESE. L'Aia, Gemeentemuseum (Slijper)

ol/tl 69×53 f 1910 c.

Già in proprietà Esser, quindi Slijper a Blaricum. Discussa la datazione, precisata da Seuphor intorno al 1908, dal catalogo della mostra di New York (1971, n. 39) all'estate 1909. Probabilmente (Wijsenbeek, 1968) eseguito verso il 1910, appartiene al gruppo di opere che stanno a testimoniare la sperimentazione dell'artista in direzione *pointilliste*. Mondrian però, è stato osservato (Menna), sostituisce alla tecnica puntiforme divisionista larghi tasselli di colore che qui "hanno un ritmo concitato, per cui l'impressione d'insieme che lo spettatore riceve non è precisamente quella di una ricerca di calme e distese armonie cromatiche e nemmeno l'impressione di una analisi plastica [...] quanto di un tentativo, tipicamente vangoghiano, di servirsi della mobilità del colore per deformare la figura e penetrare dentro la psicologia del personaggio" (Menna, 1962).

242. CHIESA A DOMBURG. L'Aia, Gemeentemuseum (Slijper)

ol/tl 114×75 f 1910

Seuphor propone la data 1909; secondo Terpstra, Ragghianti e Wijsenbeek il dipinto deve essere invece posto nel periodo 1910-11, in cui Mondrian non rifugge (Ragghianti, 1962) da "stilemi intrisi di sfaccettati formalismi plastico decorativi di estrema temperie simbolista, predilige una frontalità incombente e suggestiva e distribuzioni rigidamente equivalenti rispetto agli assi centrali, inoltre una stilizzazione degli elementi naturali sino a ridurre nuvole e fogliami a forme geometriche piatte e triangolari".

Nello stesso museo si trova un disegno analogo (41,5×28; foto 242¹), firmato.

La facciata della chiesa di Domburg fu un altro dei temi su cui Mondrian ritornò più volte, oltre che durante il primo soggiorno in Zelanda, anche dopo il ritorno a Domburg nel 1914, con disegni ormai astratti (si veda la sequenza qui riprodotta alle foto 242²-242⁷, nell'ordine (242²) china, 63×50, L'Aia, Gemeentemuseum; (242³) cb-china, 62,2×37,5, f d 1914, Dallas, Clark; (242⁴) cb, 97,5×62, New York, Holtzman; (242⁵) cb,

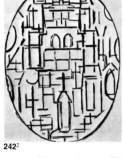

242 [Tav. XXI]

242¹

242²

242³

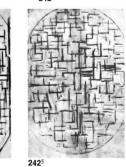

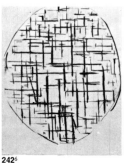

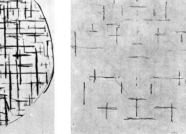

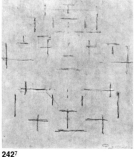

242⁴

242⁵

242⁶

242⁷

80,5×52,5, New York, Glarner; (242[6]) cb, 62,8×48,2, f, Chicago, Art Institute; (242[7]) cb, 50×43,5, New York, Holtzman).

Quali analogie teosofiche, si chiede Seuphor, avrà visto Mondrian in questa facciata? Secondo il critico francese è evidente che Mondrian fin dalle pitture naturalistiche fu impressionato dal ritmo delle finestre sovrapposte tra i contrafforti. "Vi è forse un'interpretazione mistica nella collocazione di queste finestre gemellate di dimensioni differenti? La sua insistenza a ritornare su questo tema sembra indicare che tutto ciò aveva un senso molto preciso ai suoi occhi" (Seuphor).

243. MULINO A DOMBURG (Mulino rosso). L'Aia, Gemeentemuseum (Slijper)

ol/tl 150×86 f 1910

Ragghianti (1962) ne rileva la frontalità incombente e suggestiva, lo schema compositivo rigidamente equivalente rispetto agli assi centrali. Welsh (1966) lo considera opera proto-cubista, per il disegno geometrico, la divisione in piani triangolari del primo piano, i colori non modulati. Il dipinto apparve alla mostra del Moderne Kunstkring ad Amsterdam del 1911, dove per la prima volta Mondrian avrebbe visto dal vivo opere di Braque e di Picasso. Sempre Welsh osserva che la ricerca della monumentalità è presente nelle opere di pittori contemporanei olandesi come Toorop e Willem van Konijnenberg.

244. EUCALIPTO

ol/tl 51×39 f d 1910(?)

Già in proprietà Holtzman a New York. Nonostante rechi la data "1910" sembra stilisticamente un poco più tardi.

In stretta connessione appare il disegno (cb, 47×39,5; foto 244[1]) al Gemeentemuseum dell'Aia (sul verso del foglio è un Autoritratto).

245. EVOLUZIONE. L'Aia, Gemeentemuseum (Slijper)

ol/tl 1910-11

Trittico: elemento centrale, 183×87,5; ciascun laterale, 178×85. La sperimentazione di Mondrian va qui chiaramente in direzione simbolista: l'accostamento a Hodler viene spontaneo. Si ritrovano il disegno geometrico e la rigida stilizzazione degli elementi naturali presenti in altre opere, nonché il color malva che Mondrian predilesse nei periodi del Brabante e della Zelanda. Seuphor vi scorge inoltre l'influenza della teosofia. Circa il significato, lo stesso critico suggerisce questa interpretazione: il sonno della carne, il risveglio dello spirito, la visione interiore.

Per un possibile disegno preparatorio, si veda al n. 197.

246. NATURA MORTA CON VASO DI ZENZERO I. L'Aia, Gemeentemuseum (Slijper)

ol/tl 65,5×75 f 1911-12

A opinione di Welsh, Wijsenbeek e Block, sebbene sul dipinto appaia la firma dell'artista con una sola "a" (si veda

Documentazione, 1872) l'opera sarebbe stata in realtà eseguita prima dell'arrivo di Mondrian a Parigi e la firma sarebbe stata apposta in un secondo tempo. A sostegno di questa ipotesi starebbe la testimonianza dell'amico di Mondrian A. P. van den Briel, secondo la quale Mondrian gli restituì prima di partire per Parigi il vaso raffigurato nel dipinto, e soprattutto lo stile ancora molto "descrittivo" (Welsh, 1966) rispetto alle opere cubiste che l'artista dipinse dopo il suo arrivo a Parigi. La natura morta cui Mondrian accenna in una lettera del 26 agosto 1912 all'amico Conrad Kickert è quindi sicuramente la seconda versione del dipinto (n. 250). Welsh fa notare che "i tocchi di porpora e blu di questa prima Natura morta ricordano i colori di opere precedenti e sono lontani dalle opere monocrome marroni e beige dipinte da Picasso tra il 1910 e il 1912, che Mondrian non poté vedere che a Parigi e che non influenzeranno il suo colore

247. NATURA MORTA CON VASO DI ZENZERO II. L'Aia, Gemeentemuseum (Slijper)

ol/tl 91,5×120 f 1912

È certo a questa seconda versione cui Mondrian allude nella lettera con timbro postale del 26 agosto 1912 all'amico Conrad Kickert, scrivendo di star ancora lavorando alla "natura morta". Il dipinto fu probabilmente presentato alla mostra del Moderne Kunstkring dell'autunno 1912 (n. 156). L'artista si è spinto più avanti, rispetto alla prima versione (n. 246), sulla via della semplificazione e della schematizzazione, facendo suo il linguaggio cubista.

248. ALBERO. New York, Sidney Janis Gallery

che verso la fine del 1912". Il soggetto, l'iconografia ricorderebbero (Welsh) le nature morte dei grandi olandesi del Seicento, e si collocherebbero sulla linea della tradizione olandese.

ol/tl 65×81 1911-12

Stilisticamente molto vicino all'Albero grigio (n. 249), di cui può essere l'immediato precedente.

Un disegno analogo si trova al Gemeentemuseum dell'Aia mt, 56,5×84,5; foto 248[1]).

249. ALBERO GRIGIO. L'Aia, Gemeentemuseum

ol/tl 78,5×107,5 f 1912

Mondrian è giunto a Parigi, ha scoperto il cubismo e, come osserva giustamente Calvesi, ha adottato provvisoriamente anche questo linguaggio di cui l'attraggono le possibilità di semplificazione e schematizzazione. Qui è ripreso il motivo dell'albero già svolto in chiave espressionistica (Albero rosso, n. 206, ecc.), per una delle prime sperimentazioni cubiste. Il tronco, i rami dell'albero sono trasformati in un ritmico gioco di linee curve appiattite sulla superficie del dipinto, inizio di un procedimento per cui la forma dell'albero viene a ma-

no a mano spogliata dal peso negativo degli accidenti" (Morisani, 1956) per giungere alla "forma essenziale". Si veda anche al n. 248.

250. LE RIVE DELLA SENNA. Colonia, Peters

ol/tl 52×71,5 1912 c.(?)

251. FIGURA FEMMINILE. L'Aia, Gemeentemuseum (Slijper)

ol/tl 115×88 f 1912 c.

Appartiene al gruppo delle prime opere della fase cubista. Giustamente Calvesi (1957) osserva come il quadro sia tutto un tessuto di linee orizzontali e verticali in cui però l'oggetto emerge ancora con il dinamismo inquietante delle sue linee: la linea non è dunque ancora una pura realtà spaziale, ma presenza dibattuta dell'oggetto che si ripercuote nello spazio.

Secondo il Ragghianti (1962), in questo dipinto, così come nel Nudo (n. 254), Mondrian

243 [Tav. XXII]   244   244[1]

245 [Tav. XXIII]

103

246 [Tav. XXIV]

247 [Tav. XXV]

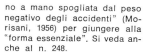

250

248

248[1]

249 [Tav. XXVII]

251   252   253   254

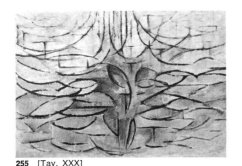

255 [Tav. XXX] **256** **258**

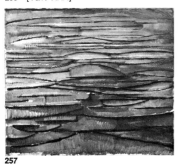

257 **259** **260** [Tav. XXXII] **262**

sviluppa "la definizione dei volumi secondo scalature che, anche nella pennellata breve e parallela, oltreché nel sensibile monocromatismo, seguono soluzioni proprie di Picasso e di Braque nella esperienza neocezanniana, ma ricordando da vicino anche analoghe partiture di Gleizes e Metzinger degli anni 1911-12".

252. PAESAGGIO CON ALBERI. L'Aia, Gemeentemuseum (Slijper)

ol/tl 120×100 f 1912

Sicuramente collocabile tra le prime opere cubiste; una datazione più tarda (Terpstra [1958-59] propone il 1913) contrasterebbe con i caratteri proto-cubisti del dipinto (si veda anche al n. 251). Welsh (1966) sottolinea oltre che il generico debito alle composizioni di Braque del 1908-09 circa, presentate all'esposizione del Moderne Kunstring del 1911, il fatto che lo stile appare vicino a quello dei cubisti di Montparnasse come Le Fauconnier (amico di Conrad Kickert) e Gleizes. Osserva inoltre che anche il contatto con i cubisti olandesi a Parigi (Lodewijk Schelfhout, Petrus Alma), potrebbe aver avuto una qualche importanza per la pittura di Mondrian di questo periodo.

253. PAESAGGIO. L'Aia, Gemeentemuseum (Slijper)

ol/tl 63×78 f 1912

In questo, come negli altri dipinti della prima fase cubista (si veda al n. 251) è importante rilevare "la griglia geometrica sensibilissima, già quasi una scacchiera, cui sono saldamente ancorate anche le linee oblique o curve" (Ragghianti, 1962).

254. NUDO. L'Aia, Gemeentemuseum (Slijper)

ol/tl 140×98 f 1912

"La tela è scompartita in due metà, alto e basso, secondo la intercidenza della diagonale dall'angolo destro alto all'angolo sinistro basso con la linea di divisione mediana. Questa diagonale costruisce sul piano l'angolo del seno destro e l'angolo della spalla sinistra. Ma tutta la parte alta della figura è determinata dall'inscrizione in un quadrato, i cui raccordi interni stabiliscono la posizione e la forma delle parti dell'immagine, con una correlazione rigorosa. Anche nella parte bassa sono visibili e misurabili figure spostate di quadrati regolari, e sul complesso della tela altri quadrati sono tracciabili, anche se non conclusi in tutto il perimetro" (Ragghianti, 1962). Si veda anche al n. 251.

255. MELO IN FIORE. L'Aia, Gemeentemuseum

ol/tl 78×106 1912

Presentato alla seconda mostra del Moderne Kunstring ad Amsterdam, nell'ottobre-novembre del 1912. La forma dell'albero è ormai divenuta un gioco di linee. Secondo Calvesi (1957), "sgombrato dalla corporeità dell'oggetto, lo spazio si proietta purificato, quintessenziale sulla tela: per Mondrian è lo spazio e non l'oggetto che interessa; il cubismo non è quindi per lui ritmo di scomposizione, ma un suggerimento di riduzione della realtà allo spazio che la contiene e l'assorbe". Di diversa opinione è Morisani (1956) il quale ritiene che il risultato ottenuto in questa ricerca della "forma essenziale" non sia altro che la schematizzazione del fogliame, "di un elemento accidentale cioè, secondo il pensare dell'artista, quasi elevato a simbolo: la cosiddetta astrazione rimane un fatto fisico, della stessa natura dell'interpretazione cubista".

256. ALBERI IN FIORE. New York, propr. priv.

ol/tl 60×85 1912

Stilisticamente vicino ai n. 250-255.

257. MARE. Basilea, propr. priv.

ol/tl 82×92 1912

Si tratta della prima versione cubista del tema della marina, già svolto ripetutamente nella fase divisionista ed espressionista: su questo soggetto l'artista ritornerà ripetutamente nella fase conclusiva del periodo cubista, dopo il ritorno in Olanda.

258. ALBERO. Pittsburg, Carnegie Institute, Museum of Art

ol/tl 94×69,8 1912

Già nella collezione Charmion Wiegand (New York). Stilisticamente vicino ai n. 255-257, probabilmente eseguiti nella seconda metà del 1912. Fu presentato alla mostra del Moderne Kunstring ad Amsterdam nell'autunno del 1912. Welsh (1966) riferisce che in una recensione contemporanea un critico ("Giovanni", pseudonimo di J. Kalff, in "Algemeen Handelsblad", 18 ottobre 1912), pur non riuscendo a scorgere gli alberi cui allude il titolo dell'opera, scrisse che il dipinto, assieme alle altre opere di Mondrian esposte, gli ricordava vetri impiombati di finestre, evidentemente gotiche. Sempre secondo quanto riferisce Welsh, Mondrian stesso, molto più tardi, parlando dei suoi dipinti di alberi di questo periodo, affermò che in essi "predominava la verticalità, e una espressione gotica ne era il risultato".

259. COMPOSIZIONE N. 1 (Alberi). Rotterdam, Hudig L. Izn

ol/tl 85,5×75 1912

È il precedente della Composizione n. 3 (Alberi) al Gemeentemuseum (n. 260). Sul tema degli alberi Mondrian approfondisce, sulla scia dei cubisti, il procedimento astrattivo. Giustamente Ragghianti (1962) osserva che, accanto al gruppo di dipinti caratterizzati da strutture verticali o espansive, sebbene sempre contenute e stabilizzate da simmetrie gradinature, Mondrian, "senza mutare la preferenza per le scalature gradinate, in progressione ritmica marcatamente regolare e per gli angoli saggiati nelle più varie aperture, sottoscritti o non da partiture quadrangolari, torna a composizioni fortemente centriche ed equilibrate con il Melo (Nieuwenhuizen Segaar), la Composizione n. 1 (Hudig L. Izn), la Composizione n. 3 (Gemeentemuseum)".

260. COMPOSIZIONE N. 3 (Alberi). L'Aia, Gemeentemuseum (Slijper)

ol/tl 95×80 f 1912

È significativo il titolo come già nel precedente: non più Alberi ma Composizione. È il momento del passaggio all'astrattismo puro: anche il tema naturale sta per scomparire e nasceranno le composizioni di linee e di colori. È anche il momento in cui Mondrian sente forse maggiormente l'influsso di Braque e soprattutto di Picasso, ma, come osservava Apollinaire (si veda Documentazione, 1913), egli sta già incamminandosi verso una via nuova, verso la pura astrazione.

263 **265** **267** **268** [Tav. XXXI]

269 [Tav. XXXIII] **269**¹ **269**² **270** [Tav. XXXV]

261. MELO. L'Aia (?), Nieuwen-huizen Segaar

ol/tl 65×75 1912 c.

Riprodotto in Seuphor (1970, ill. n. 191). Si veda ai n. 259 e 260.

262. COMPOSIZIONE N. 11. Otterlo, Rijksmuseum Kröller-Müller

ol/tl 76×55 1912 c.

Appartiene al pieno periodo cubista: s'intravvede ancora il soggetto, una figura umana. Il colore è quasi monocromo.

263. ALBERO. Basilea, propr. priv.

ol/tl 100×67 f 1912

Appare in stretta relazione con alcuni disegni del 1911 (Seuphor, 1970, ill. n. 185-189) e con un gruppo di *Alberi* e *Composizioni* tra il 1912 e il 1913, caratterizzato (Ragghianti, 1962) "da una grande omogeneità di esperienza formale, sia pure in uno sviluppo che [...] porta alle ultime adesioni al cubismo. Mondrian insiste su una composizione ascensionale a ventaglio allungato, coronata da ombrelli a cadenza curvilinea, con una progressione sintomatica che porta dalle pennellate andanti e sinuose e dagli arabeschi morbidi dell'abbozzo nel Gemeentemuseum dell'Aia [n. 267] all'altro nello stesso museo [n. 268] dove le curve sono quasi assenti, e tutta l'immagine si disciplina secondo figure angolari".

264. COMPOSIZIONE IN GRI-GIO-BLU. Parigi, Misné

ol/tl 98×65 1912

Riprodotta in Seuphor (1970, ill. n. 197). Influenzata dalle opere di Braque e di Picasso del periodo 1910-12, avrebbe come soggetto (Welsh, 1966) lo stesso mazzo di girasoli che appare in un disegno cubista di Mondrian della collezione J.P. Smid.

265. COMPOSIZIONE CON RO-SA, BLU, GIALLO E BIANCO.

ol/crt 29,2×27,9 f 1912

Già presso la Marlborough Gallery di New York.
Si tratta di un *unicum* nella produzione del periodo cubista di Mondrian.

266. EUCALIPTO

ol/crt 1912

Riprodotto in Seuphor (1970, ill. n. 203). Già in proprietà Holtzman a New York. Si veda anche ai n. 263 e 264.

267. COMPOSIZIONE CON AL-BERI. L'Aia, Gemeentemuseum (Slijper)

ol/tl 81×62 f 1912-13

Si veda al n. 263.

268. COMPOSIZIONE CON AL-BERI II. L'Aia, Gemeentemuseum

ol/tl 98×65 f 1912-13

Collegabile ai n. 259 e 263.

269. COMPOSIZIONE OVALE CON ALBERI. Amsterdam, Stedelijk Museum

ol/tl 94×78 f 1913

Già in collezione Bremmer all'Aia. È il momento in cui Mondrian sente maggiormente

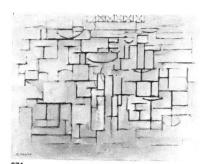

271

272 [Tav. XXXIV]

273

276

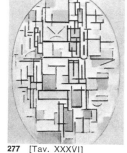

277 [Tav. XXXVI]

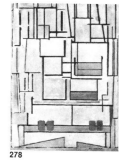

278

278¹

280

275

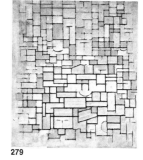

279

281

105

282 [Tav. XXXVII]

283 [Tav. XXXIX]

284 [Tav. XXXVIII]

284¹

285

l'influsso del cubismo di Braque e di Picasso, del periodo 1910-12. Il dipinto, il primo in cui l'artista usa l'ovale, fu esposto alla mostra del Moderne Kunstkring nell'autunno del 1913 e pubblicato sulla rivista "De Kunst" (Welsh, 1966). Mondrian (Terpstra, 1958-59) avrebbe spiegato al primo proprietario, H.P. Bremmer, il soggetto del dipinto: esso raffigurerebbe un albero nel giardino del palazzo del Lussemburgo a Parigi. Il foglio di un album di schizzi del 1911 (New York, Holtzman; foto 269¹) sembra mostrare (Welsh) la prima idea della composizione, svolta anche in una sequenza di disegni (Seuphor, 1970, ill. n. 186-189 e 199; quest'ultimo [cb, 85×70; L'Aia, Gemeentemuseum; foto 269²] senz'altro il più vicino alla realizzazione a olio) che precedono la stesura finale. Welsh esclude che Mondrian a partire dal 1913 lavorasse ispirandosi direttamente a soggetti naturalistici, e a sostegno della sua affermazione riporta brani

dell'articolo di Wolf ("De Kunst", VII, 1915) in cui l'autore riassume il contenuto delle sue conversazioni con Mondrian subito dopo la mostra del 1913. "Mondrian", scrive Wolf, "divide la composizione in linea e piano, che egli pone in consapevole e talvolta simmetrica relazione tra di loro. Il soggetto non gli interessa tanto ma [...] chiaramente risveglia il suo interesse per le relazioni di linea e di colore".

270. COMPOSIZIONE N. 7. New York, Solomon R. Guggenheim Museum

ol/tl 106,5×114,3 f 1913

Il soggetto-pretesto viene abbandonato (Seuphor); "gli oggetti e lo spazio si fondono in unità, come in Braque, solo che in Mondrian sono gli oggetti che acquistano la rarefazione e la luminosità atmosferica dello spazio. Perciò i quadri cubisti dell'olandese si espandono verso l'esterno o, a differenza di quanto abbiamo

visto accadere nelle disintegrazioni picassiane, in cui l'oggetto, per quanto frantumato, conserva sempre una sua irriducibile presenza, in essi gli oggetti si assottigliano e si consumano fino ad identificarsi con la luce" (Menna, 1962).

271. COMPOSIZIONE IN GRI-GIO E GIALLO. Amsterdam, Stedelijk Museum

ol/tl 61,5×76,5 f 1913

"La serie che ha inizio con la *Composizione n. 7* manifesta il passaggio sempre più accentuato ad uno scompartimento modulare della superficie, che si attua in forme progressivamente depurate e limpide. L'esperienza coinvolge un gruppo assai numeroso di opere, tra le quali la tela citata, il *Tableau I* (Otterlo), la *Composizione in grigio e bruno* (New York), la *Composizione in grigio e giallo* (Stedelijk Museum, Amsterdam) conservano una distribuzione paritetica, secondo gli assi mediani che riconduce

a quella del gruppo precedente" (Ragghianti, 1962).

272. COMPOSIZIONE IN BLU, GRIGIO E ROSA. Otterlo, Rijksmuseum Kröller-Müller

ol/tl 88×115 f d 1913

Si veda ai n. 270 e 271.

273. 'TABLEAU' I. Otterlo, Rijksmuseum Kröller-Müller

ol/tl 96×64 f 1913

Pubblicato con *Composizione ovale con alberi* e *Composizione n. 7* sul catalogo della mostra del Moderne Kunstkring del 1913, appartiene, come quelle, al momento di maggiore adesione al cubismo francese. Si veda anche ai n. 270 e 271.

274. FACCIATA IN MARRONE E GRIGIO. New York, Kaufmann

ol/tl 63,5×91 1913

Riprodotta in Seuphor (1970, ill. n. 267).

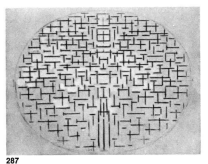

287

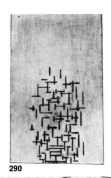

290

291 [Tav. XL]

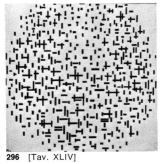

296 [Tav. XLIV]

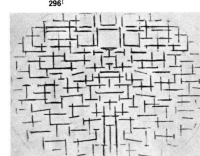

296¹

289

289¹

289²

289³

275. FACCIATA IN MARRONE E GRIGIO. New York, Museum of Modern Art

ol/tl 86×76 f 1913 c.

276. COMPOSIZIONE N. 14. Eindhoven, Stedelijk van Abbemuseum

ol/tl 94×65 f 1913

Stilisticamente molto vicino a 'Tableau' I (n. 273) e alle Facciate in marrone e grigio (n. 274 e 275), fu eseguito quasi certamente nell'estate-autunno del 1913.

277. COMPOSIZIONE OVALE CON COLORI CHIARI. New York, Museum of Modern Art

ol/tl 107,5×78,7 f 1913

Deriva direttamente da un disegno della collezione Holtzman (Seuphor, 1970, ill. n. 182) e appartiene al gruppo delle opere eseguite tra il 1912 e il '14 sul tema delle facciate e delle impalcature. In questo periodo Mondrian, come i cubisti francesi, usa spesso l'ovale. L'ordine orizzontale-verticale tende sempre più a dominare (Seuphor).

278. COMPOSIZIONE N. 9 (Facciata blu). New York, Museum of Modern Art

ol/tl 95,2×67,5 f 1913-14

Secondo Welsh (1966), Seuphor ha intitolato erroneamente quest'opera Composizione n. 9, impalcatura: il confronto con alcuni disegni (in particolare lo schizzo della Marlborough-Gerson Gallery di New York; cb, 17×10,5; foto 278¹) aventi per soggetto "edifici in demo-

lizione" mostra come il tema sia la facciata laterale di un edificio parigino, sulla quale si possono scorgere i resti di un interno demolito. Il titolo del Welsh propone, Facciata blu, risulta giustificato dal colore tendente al monocromo e dal fatto che la lettera "B" si trovi sulla maggior parte dei riquadri nel disegno citato.

279. COMPOSIZIONE N. 7 (Facciata). Zurigo, Kunsthaus (in prestito da E. Hulton)

oltl 120×100 f d 1914

280. COMPOSIZIONE N. 8. New York, Solomon R. Guggenheim Museum

ol/tl 94,5×55,5 f d 1914

281. FACCIATA N. 5. New York, Museum of Modern Art

ol/tl 55,8×85 f d 1914

Donata dalla collezione Janis.

282. COMPOSIZIONE OVALE ('Tableau' III). Amsterdam, Stedelijk Museum

ol/tl 140×101 f 1914

283. COMPOSIZIONE N. 6. L'Aia, Gemeentemuseum (Slijper)

ol/tl 88×61 f d 1914

Secondo Welsh (1966), i riquadri posti l'uno sull'altro nella zona sinistra del dipinto ne indicano ancora il soggetto-pretesto e fanno collocare l'opera nella serie dedicata alle facciate di edifici parigini. I colori sono il rosso, il grigio e l'ocra.

284. COMPOSIZIONE OVALE. L'Aia, Gemeentemuseum (Slijper)

ol/tl 113×84,5 f 1914

La genesi del dipinto andrebbe ricercata (Welsh, 1966; Jaffé, 1971) in un disegno a matita del 1912-13 (mt, 23,6×15,5; New York, Sidney Janis Gallery; foto 284¹) in cui appare raffigurato un edificio ancora esistente all'angolo di rue du Départ con l'avenue Edgar-Quinet, sulla cui parete spiccano due manifesti pubblicitari, l'uno con l'iscrizione "KUB" e lo schizzo di un cubo vicino (pubblicità di un dado per brodo), l'altro con la parola "CUSENER" (un liquore). Le lettere "KUB" e il cubo (una possibile allusione al cubismo, secondo Jaffé) appaiono anche in questa stesura finale.

285. COMPOSIZIONE CON PIANI DI COLORE. ... (Svizzera), propr. priv.

ol/tl 91,4×64,7 f d 1914

Presentata alla mostra di New York (1971, n. 67); si tratta dell'opera registrata da Seuphor (1970, cat. n. 436, ill. n. 284) in proprietà della Sidney Janis Gallery di New York.

286. MARE. New York, Holtzman

gz-china 50×61 f 1914 c.

Riprodotto in Seuphor (1970, ill. n. 222). Secondo il Ragghianti (1962), mostra, così come Molo e oceano della collezione Tremaine (n. 288), un rap-

porto tra telaio e zone piatte, monocrome e cromatiche analogo a quello che si trova nelle Facciate dipinte un anno prima a Parigi.

287. MOLO E OCEANO. New York, Museum of Modern Art

pst-gz 86,5×112 f 1914

Si veda al n. 290.

288. MOLO E OCEANO. Meriden, Tremaine

gz-china 50×63 f 1914

Riprodotto in Seuphor (1970, ill. n. 235). Si veda al n. 290.

289. MOLO E OCEANO. Otterlo, Rijksmuseum Kröller-Müller

ol/tl 85×108 1915

Tra il 1914 e il '15 il tema che maggiormente affascina Mondrian è quello del mare, cui già dal 1908 al '10 aveva dedicato numerosi dipinti e disegni (si vedano in particolare i tre studi dati alle foto 289¹-289³; nell'ordine: cb-mt, 55,5×56, New York, Holtzman; cb, 52,7×66, New York, Sidney Janis Gallery; cb, 51×63, L'Aia, Gemeentemuseum). Tornato a Domburg, l'artista realizza quindi un nutrito gruppo di opere, ispirate dallo spettacolo del Mare del Nord, sul quale si affacciava il molo di Scheveningen ora distrutto. Mondrian stesso (si veda Documentazione, 1915) ha spiegato come in questi dipinti e disegni egli tentasse, impressionato dalla grandiosità della natura, di rappresentare

il mare, il cielo, le stelle per mezzo di una moltitudine di croci, e di tradurne "l'espansione, il riposo, l'unità". Seuphor (1956) sottolinea il fatto che nelle prime opere della serie "domina l'orizzontale, poi la verticale riprende i suoi diritti" e si concretizza in una specie di cuneo che va verso il centro del disegno partendo dal basso della composizione. L'idea di questa "cristallizzazione della verticale" sarebbe venuta all'artista proprio dal molo di Scheveningen. F. Menna (1962) sostiene che Mondrian ha affrontato e risolto, nel dipinto in esame, anche un problema di veduta: "il segno s'infittisce verso l'alto, che è il 'lontano' della composizione, sfuma verso i lati, mentre è più definito verso il centro: l'insieme si sposta così verso l'alto e dal centro verso la periferia, in direzione centrifuga, riconducendoci appunto a una angolazione naturalistica, a una veduta che però il sentimento cosmico dell'artista trasforma in una visione tutta fantastica".

290. COMPOSIZIONE. New York, Sidney Janis Gallery

ol-mt/tl 124,4×75 1915-16

Già in proprietà di Harry Holtzman. È uno studio per la Composizione 1916 del Solomon R. Guggenheim Museum di New York (n. 291).

291. COMPOSIZIONE 1916. New York, Solomon R. Guggenheim Museum

ol/tl 120×75 f d 1916

Costituisce un momento importante alla fine della fase cubista di Mondrian. Secondo Jaffé (1971) più che in ogni altra opera vien qui raggiunta la sintesi tra il ritmico "pattern" delle linee e il colore raffinato, che ne fa un "delizioso intermezzo" tra la versione del 1915 di Molo e oceano del museo Kröller-Müller (n. 289) e la versione finale dello stesso tema del 1917 (n. 296). Si veda anche al n. 290.

292

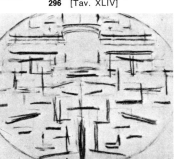

293

294

295

292. CRISANTEMO BLU. New York, Solomon R. Guggenheim Museum

acq 27×22,5 f 1910-20

293. MULINO. Amsterdam, Stedelijk Museum

ol/tl 100×94,5 1916

Al 1916 vengono, con dubbio, assegnati da Seuphor un gruppo di disegni di *Mulini* della collezione Slijper, cui si aggiunge questo olio e il *Mulino a Blaricum al chiaro di luna*, ora al Gemeentemuseum (n. 294). Secondo Wijsenbeek (1968), durante il secondo soggiorno olandese, Mondrian avrebbe eseguito un certo numero di dipinti, su commissione, riprendendo temi del periodo precubista.

294. MULINO A BLARICUM AL CHIARO DI LUNA. L'Aia, Gemeentemuseum (Slijper)

ol/tl 103×86 1916(?)

Seuphor lo assegna al periodo attorno al 1909, avvicinandolo a dipinti di temperie simbolista; Wijsenbeek al contrario sostiene una datazione molto più tarda, avanzando l'ipotesi che Mondrian, dopo il ritorno in Olanda, sia ritornato su temi della fase precubista.

295. CALLE. L'Aia, Gemeentemuseum (Slijper)

ol/tl 80×50 f 1916-17 c.

296. COMPOSIZIONE CON LINEE ('Più' e 'meno'). Otterlo, Rijksmuseum Kröller-Müller

ol/tl 108,4×108,4 f d 1917

Con questa, che è anche la versione definitiva del tema *Molo e oceano*, si chiude la fase cubista di Mondrian. Il colore vi è completamente bandito: sono solo linee nere (segni 'più' e 'meno') su un fondo bianco. Il tema di questa composizione è ormai (Calvesi, 1957) il dinamismo dello spazio: direzioni uniche e parallele 'meno', si incrociano al 'più': direzione simultanea di altezza e profondità. Queste due componenti dello spazio fisico sono ormai perfettamente equivalenti nella dimensione astratta del piano.

Si conserva una fotografia del dipinto, presa durante uno stato precedente la stesura definitiva; Mondrian stesso la spedì all'amico e finanziatore Bremmer nel luglio del 1916 (Oosten, *Mondrian: Between Cubism and Abstraction*, in *Piet Mondrian, Centennial Exhibition*, New York, 1971; foto 296¹). Il pittore lavorò dunque per un considerevole periodo di tempo a questa composizione: il 19 febbraio 1917 egli scriveva a H. van Assendelft, un prete protestante, che "il grande bianco e nero", cioè il dipinto in esame, aveva fatto dei progressi, con l'approvazione di van der Leck, ma non era ancora finito (Oosten).

297. COMPOSIZIONE CON COLORI B. Otterlo, Rijksmuseum Kröller-Müller

ol/tl 50×44 f d 1917

Secondo Welsh (1966), questa e l'analoga *Composizione con piani di colore puro su fondo bianco A* (n. 298), pure nel

museo Kröller-Müller di Otterlo, sono ivi erroneamente catalogate con il titolo rispettivamente di *Composizione in blu B* e di *Composizione in blu A*. Ciò per il fatto che una parola del titolo scritto frettolosamente in olandese sul supporto, probabilmente dallo stesso Mondrian, e precisamente "kleur" (colore) fu letta come "bleu" (blu). In nessuna delle due opere il colore blu domina sul rosso e sull'ocra. Il titolo esatto permette di stabilire che le due tele furono esposte alla mostra dell'Hollandsche Kunstenaarskring in Amsterdam nel maggio 1917, come *Compositie in kleur - A e B* e con i numeri 46 e 47. Jaffé (1971) e Welsh concordano nel ritenere le due composizioni come l'antecedente della serie di *Composizioni con piani di colore*. Secondo Jaffé la composizione è ancora legata a certi schemi cubisti: i brevi segmenti neri formano un ovale e i rettangoli in colori pressoché primari sono ancora i *plans superposés* dei cubisti, ma il cambiamento è evidente e Mondrian stesso ne spiega l'origine storica ("De Stijl", gennaio 1932): "A quel tempo [il 1915], io incontrai artisti animati dallo stesso spirito. Innanzi tutto van der Leck, che, sebbene ancora figurativo, dipingeva con piani compatti di colore puro. La mia tecnica più o meno cubista, e quindi più o meno pittorica subì l'influsso della sua tecnica esatta".

298. COMPOSIZIONE CON PIANI DI COLORE PURO SU FONDO BIANCO A. Otterlo, Rijksmuseum Kröller-Müller

ol/tl 50×44 f d 1917

Si veda al n. 297.

299. COMPOSIZIONE CON PIANI DI COLORE N. 3. L'Aia, Gemeentemuseum

ol/tl 48×61 f d 1917

È uno di cinque dipinti in cui larghi rettangoli di colore so-

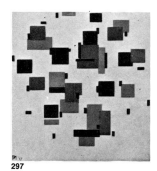

297

299 [Tav. XLI]

300

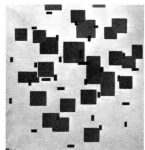

298 [Tav. XLIII]

302 [Tav. XLII]

303

304 [Tav. XLV]

306

307

311

305

308

309 [Tav. XLVI]

310

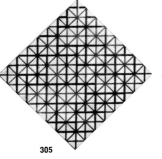

312

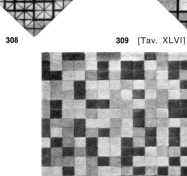

313 [Tav. XLVII]

314

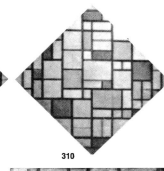

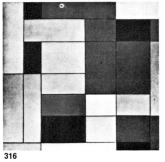

316

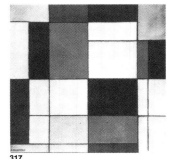

317

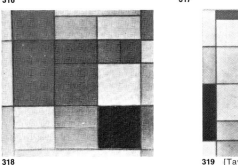

318

319 [Tav. XLVIII]

no 'sospesi' su un fondo bianco, senza più traccia dei segmenti di linea neri presenti nelle *Composizioni con piani di colore A e B* (n. 297 e 298) e nella *Composizione con linee* (*'Più'* e *'meno'*) (n. 296) del 1917 e che indicano il rapporto di queste con la precedente *Composizione 1916* (n. 291). Sciolti i legami con il cubismo, Mondrian si è incamminato su una via autonoma. Secondo Jaffé (1971), il fatto che l'artista raffigurasse sullo sfondo dell'au-

toritratto del 1918 proprio un dipinto o disegno di questa serie, testimonia la sua consapevolezza che queste opere rappresentavano una svolta determinante nella sua vita artistica. Altro fatto significativo, riferito da Welsh (1966), è che Mondrian il quale aveva firmato queste opere con il monogramma usato per le tre composizioni precedenti ("PM" sovrapposti) e la data 1917, in seguito lo cancellò per sostituirlo con il tipo di monogramma

che poi usò per il resto della sua vita ("P M" staccati); l'altro monogramma fu conservato solo in uno dei cinque dipinti (n. 302).

300. COMPOSIZIONE CON PIANI DI COLORE. Rotterdam, Museum Boymans-van Beuningen

ol/tl 48×61,5 f d 1917

Si veda al n. 299.

301. COMPOSIZIONE CON PIANI DI COLORE N. 5. L'Aia, Waller

ol/tl 49×60,5 f d 1917

Riprodotta da Seuphor (1970, ill. n. 288). Si veda anche al n. 299.

302. COMPOSIZIONE CON PIANI DI COLORE PURO SU FONDO BIANCO. New York, Friedman

gz/crt 47×59 f 1917

Si veda al n. 299.

303. COMPOSIZIONE CON PIANI DI COLORE B. Loenen, van Eyck

ol/tl 48×61 f d 1917

Si veda al n. 299.

304. AUTORITRATTO. L'Aia, Gemeentemuseum (Slijper)

ol/tl 88×71 f d 1918

Se si eccettua un disegno del 1942, è questo l'ultimo degli autoritratti di Mondrian. Fu commissionato all'artista, quando ancora egli soggiornava a La-

ren, presso l'amico S.B. Slijper, grande collezionista delle sue opere: forse proprio per far piacere a costui, in piena fase astratta, l'artista eseguì questo autoritratto naturalistico. Mondrian si era già ritratto nella medesima posa in disegni eseguiti tra il 1911 e il '13 circa (Seuphor, 1970, ill. n. 3-6). Alle spalle del pittore è riprodotto un dipinto costruito secondo lo schema delle *Composizioni con piani di colore* del 1917 (si veda al n. 299) ma non identificabile con alcuna di esse.

305. LOSANGA CON LINEE GRIGE. L'Aia, Gemeentemuseum (in prestito da van den Briel)

ol/tl diag. 121 f d 1918

Donata da Mondrian all'amico A.P. van den Briel prima del ritorno a Parigi. Appaiono qui per la prima volta la forma a losanga e un nuovo principio compositivo, basato su una suddivisione geometrica regolare a 'griglia'. La tela è divisa (come ha ben analizzato Jaffé, 1970) secondo un sistema di parallele in piccoli quadrati (otto per lato), ciascuno dei quali è diviso a sua volta in quattro triangoli da un sistema di diagonali che sulla losanga appaiono come linee orizzontali e verticali. A questo disegno geometrico regolare è dato un "equilibrio qualitativo asimmetrico" con l'assottigliare e il rendere più marcate alcune di queste linee (Jaffé).

306. COMPOSIZIONE IN GRIGIO E OCRA-MARRONE. Houston, Museum of Fine Arts

ol/tl 78×49,5 f d 1918

Sebbene non sia visibile la suddivisione geometrica della superficie del rettangolo della tela in un graticcio di piccoli rettangoli uguali fra loro, e aventi le proporzioni del rettangolo della tela (secondo il procedimento usato in *Losanga con linee grige* del Gemeentemuseum, n. 305), sicuramente (Welsh, 1966), anche in questo

322

dipinto la composizione si basa sulla moltiplicazione delle unità minori, per mezzo di linee più marcate, in combinazioni di grandezza e colore diversi, al fine di raggiungere un equilibrio ritmico asimmetrico.

307. COMPOSIZIONE CON PIANI DI COLORE E CONTORNI GRIGI. Zurigo, Bill

ol/tl 49×60,5 f d 1918

Si tratta di un *unicum* nella produzione di Mondrian del 1918,

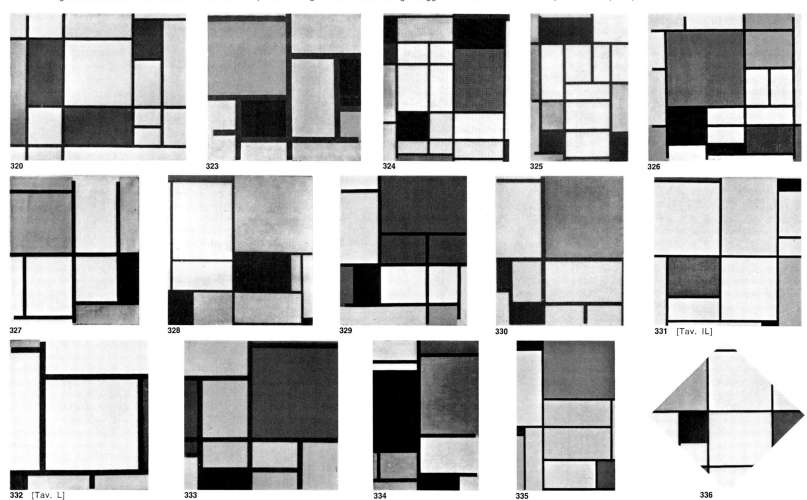

320 323 324 325 326

327 328 329 330 331 [Tav. IL]

332 [Tav. L] 333 334 335 336

tanto che Seuphor la pone nel 1919; ma la data è inequivocabilmente segnata sulla tela. Secondo Jaffé (1970), è l'opera che inaugura la lunga e ininterrotta serie dei dipinti neoplastici. Il passo avanti rispetto alle *Composizioni con piani di colore* del 1917 è spiegato dallo stesso Mondrian (*Towards the trup vision of reality*, 1942): "Sentendo la mancanza di unità raggruppai i rettangoli: lo spazio divenne bianco, nero e grigio, la forma divenne rossa, blu o gialla. Unire i rettangoli equivaleva continuare le verticali e le orizzontali del periodo precedente in tutta la composizione".

308. LOSANGA CON LINEE GRIGE. Filadelfia, Museum of Art (Arensberg)

ol/tl diag. 84 f d 1919

Stilisticamente legata all'analogo dipinto del Gemeentemuseum dell'Aia (n. 305).

309. LOSANGA CON COLORI CHIARI E LINEE GRIGIE. Otterlo, Rijksmuseum Kröller-Müller

ol/tl diag. 84 d 1919

Accostabile non solo alla serie delle *Losanghe* del 1918-19, ma anche alle tele rettangolari dello stesso periodo la cui composizione si basa su una suddivisione geometrica regolare a 'graticcio', nella quale un sistema di linee più marcate interviene a cambiare il disegno geometrico regolare in una composizione ritmica.

310. LOSANGA. Otterlo, Rijksmuseum Kröller-Müller

ol/tl diag. 34 f d 1919

Si veda ai n. 306 e 309.

311. COMPOSIZIONE IN GRIGIO. New York, Marlborough-Gerson Gallery

ol/tl 95,5×61 1919

Già appartenuta a Harry Holtzman. Per considerazioni stilistiche si veda al n. 306. Si basa sullo stesso principio di geometrica suddivisione su cui Mondrian ha costruito la serie delle *Losanghe* del 1918-19. Anche in questo dipinto la tela, questa volta rettangolare, è suddivisa in un graticcio di rettangoli uguali, poi raggruppati a formare più ampie unità (Jaffé, 1971).

312. SCACCHIERA CON COLORI CHIARI. L'Aia, Gemeentemuseum (Slijper)

ol/tl 86×106 f d 1919

La tela è suddivisa in rettangoli uguali (16 sul lato minore, 15 sul maggiore) che mantengono la proporzione del rettangolo maggiore. "Nella composizione", scriverà Mondrian (1923), "si esprime l'immutabile (lo spirituale) per mezzo della linea retta o dei piani di non colore (nero, bianco, grigio), mentre il mutevole (il naturale) si esprime per mezzo dei piani di colore e del ritmo". L'artista elabora qui il tema del ritmo per mezzo delle variazioni di colore. Egli usa (Welsh, 1966) "gradazioni chiare dei tre colori primari e tre sfumature di grigio che posso-

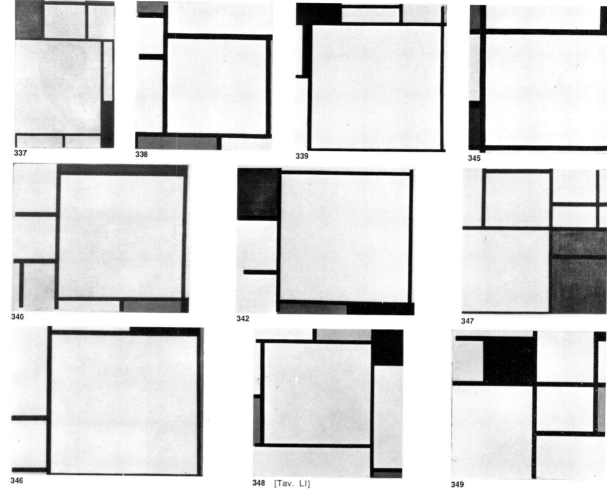

337   338   339   345

340   342   347

346   348 [Tav. LI]   349

no includere piccole quantità dei colori positivi. In contrasto con la regolarità della suddivisione geometrica della tela, il colore non segue un disegno regolare, né il numero dei colori, delle sfumature di grigio è comprensibile in termini di proporzioni matematiche".

313. SCACCHIERA CON COLORI SCURI. L'Aia, Gemeentemuseum (Slijper)

ol/tl 84×102 f d 1919

Ancora una ricerca sul tema del colore e del ritmo, come nella *Scacchiera con colori chiari* (n. 312) nello stesso museo.

314. COMPOSIZIONE CON COLORI CHIARI E CONTORNI GRIGI. Basilea, Kunstmuseum

ol/tl 49×49 f d 1919

Dono di Marguerite Hagenbach-Arp. Appartiene al gruppo concettualmente omogeneo delle *Losanghe*, delle tele rettangolari e delle *Scacchiere* nel periodo 1918-19.

315. COMPOSIZIONE. New York, Sidney Janis Gallery

ol/tl 79×79 1919

Riprodotta da Seuphor (1970, ill. n. 302). Ha il suo immediato precedente nella *Composizione con piani di colore e contorni grigi* della collezione Max Bill di Zurigo (n. 307). Forma con altri quattro dipinti (n. 316-319) databili tra il 1919 e il '20 un gruppo stilisticamente omogeneo. Rispetto alle *Composizioni* del '19 a 'graticcio',

sono aumentate le dimensioni dei rettangoli e dei quadrati contenuti; i colori primari sono usati puri, inoltre in ogni area grigia o bianca il "non-colore" è mescolato con qualche pigmento del colore primario usato nel quadrato o rettangolo vicino; le linee intermedie variano di spessore e intensità (Welsh, 1966).

316. COMPOSIZIONE IN GRIGIO, ROSSO, GIALLO E BLU. Londra, Tate Gallery

ol/tl 100,5×101 f d 1920

Si veda al n. 315.

317. COMPOSIZIONE. New York, Diamond

ol/tl 80×80 f 1920

Già in collezione Welti a Zurigo. Si veda al n. 315.

318. COMPOSIZIONE CON ROSSO, BLU, NERO E GIALLO-VERDE. New York, Museum of Modern Art

ol/tl 80×80 1920

Si veda ai n. 315 e 319.

319. COMPOSIZIONE CON ROSSO, BLU E GIALLO-VERDE. Colonia, Hack

ol/tl 67×57 f d 1920

Già in collezione Oud. Stilisticamente affine al n. 315 (si veda): anche qui i piani bianchi e grigi sono mescolati a piccole quantità di colori usati nei riquadri vicini. In questo caso però, come nel n. 318, Mondrian si discosta leggermente

dai colori primari, il giallo, ad esempio, è diventato giallo-verde.

320. COMPOSIZIONE. New York, Bartos

ol/tl 101×99 f 1920(?)

Riprodotta da Seuphor (1970, ill. n. 313). Secondo Welsh (1966) la datazione più probabile è il 1920, anziché il 1921 proposto da Seuphor.

321. COMPOSIZIONE CON ROSSO, GIALLO E BLU. Amsterdam, Muijzenberg-Willemse

ol/tl 52×60 1920

322. RITRATTO DI DONNA L'Aia, Gemeentemuseum (Slijper)

ol/tl 55×46 f 1920 c.

Seuphor propone il riferimento al 1905; Wijsenbeek (1968) cataloga il dipinto senza datarlo; l'acconciatura della donna farebbe comunque pensare agli anni Venti.

323. COMPOSIZIONE CON ROSSO, GIALLO E BLU. New York, Rothschild

ol/tl 48×48 f d 1921

"La vera partenza ha luogo nel 1921. Le tele di quest'anno sono tutte notevoli. I fondi sono delle variazioni di blu molto pallidi, quasi bianchi. Le linee nere, che ora sono molto più nette, dividono la superficie in rettangoli di dimensioni molto varie e isolano i piani di colore che tendono a diventare meno numerosi "(Seuphor).

324. COMPOSIZIONE CON ROSSO, GIALLO E BLU. L'Aia, Gemeentemuseum

ol/tl 88,5×72,5 f d 1921

325. COMPOSIZIONE CON ROSSO, GIALLO E BLU. L'Aia, Gemeentemuseum

ol/tl 80×50 f d 1921

Esposta alla XXVI Biennale di Venezia (1952), nella sezione dedicata a "De Stijl".

326. COMPOSIZIONE CON ROSSO, GIALLO, BLU E NERO. L'Aia, Gemeentemuseum

ol/tl 59,5 59,5 f d 1921

Rispetto alle composizioni del 1920, Mondrian accentua fortemente la struttura lineare (Jaffé, 1970): le linee che contornano i piani sono divenute più spesse e sono tracciate in un colore blu-grigio scuro. Inoltre un quadrato rosso di grandi dimensioni assume un ruolo predominante nella composizione. Jaffé mette in evidenza un altro particolare del dipinto: alcune linee si interrompono poco prima di raggiungere il margine della tela. È una caratteristica presente anche in altre opere del gruppo di "De Stijl", spiegata dagli artisti come riluttanza a trasformare tutta la tela in una sorta di graticcio. Per Jaffé si tratterebbe qui invece di un ritorno di Mondrian al tempo delle ultime composizioni cubiste, o alle *Losanghe* del 1919.

327. COMPOSIZIONE. Basilea, Kunstmuseum (in deposito dalla E. Hoffmann Stiftung)

ol/tl 49,5×41,5 f d 1921

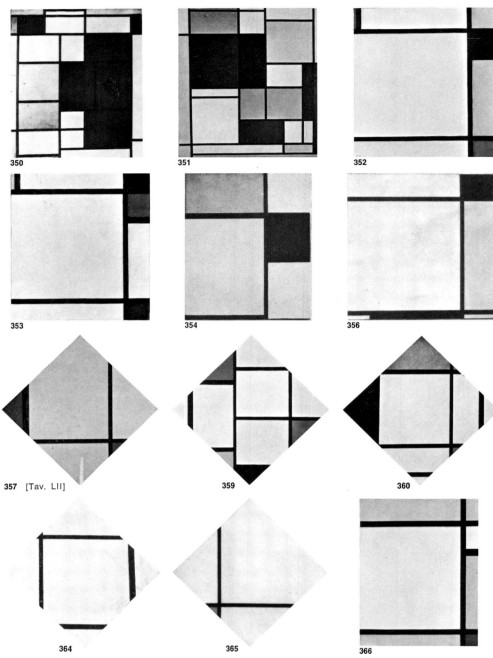

350

351

352

353

354

356

357 [Tav. LII]

359

360

364

365

366

328. COMPOSIZIONE. ... (Germania), propr. priv.

ol/tl 103,5×99,5 f d 1921

329. COMPOSIZIONE CON GRANDE PIANO BLU. Dallas, Clark

ol/tl 60,3×49,8 f d 1921

Notevole il particolare che il quadrato blu è diviso in tre parti dalle spesse linee nere. Si veda anche al n. 326.

330. COMPOSIZIONE IN GRIGIO, BLU, GIALLO E ROSSO

ol/tl 40,5×25 1921

331. COMPOSIZIONE CON ROSSO, GIALLO E BLU. L'Aia, Gemeentemuseum (Slijper)

ol/tl 103×100 f d 1921

Il mutamento intervenuto tra questa composizione della fine del 1921 e le precedenti dello stesso anno, viene ben chiarito in un breve saggio di Mondrian (1926, per la rivista "Vouloir", non pubblicato), in cui l'artista espone i fondamenti principali del neoplasticismo: " Il mezzo plastico deve essere il piano o il prisma rettangolare in colore primario (rosso, blu, giallo) e in non-colore (bianco, nero e grigio) [...]. L'equivalenza dei mezzi plastici è necessaria. Differenti in dimensione e in colore, saranno tuttavia dello stesso valore. L'equilibrio indica in generale una superficie grande di non colore o di spazio vuoto e una superficie piuttosto piccola di colore o di materia".

332. COMPOSIZIONE CON ROSSO, GIALLO E BLU. L'Aia, Gemeentemuseum (Slijper)

ol/tl 39,5×35 f d 1921

"Ecco un quadro le cui caratteristiche saranno quasi una legge fino al 1933. In una tela quasi quadrata, delle linee nere delimitano il margine del quadro. Il giallo non è un giallo puro, è verdastro; vi sono due riquadri blu, le linee nere non arrivano tutte fino al margine della tela; il quadro non è un quadrato perfetto e il quadrato interno è leggermente più alto che largo pressoché nelle medesime proporzioni" (Butor, 1961).

333. COMPOSIZIONE. New York, Hahn

ol/tl 48,2×48,2 f d 1921

Non catalogata da Seuphor; presentata alla mostra di New York (1971, n. 87).

334. COMPOSIZIONE. New York, Museum of Modern Art

ol/tl 76×52,4 f d 1921

Donata da J. H. Senior jr. Non catalogata da Seuphor; presentata alle mostre di Berlino (1968, n. 45) e di Parigi (1969, n. 67).

335. 'TABLEAU' I. Colonia, Wallraf-Richartz Museum

ol/tl 96,5×60,5 f d 1921

Esiste un disegno preparatorio presso la collezione di Harry Holtzman che, secondo l'analisi di Welsh (1966) è illuminante sul fatto che Mondrian dipinse le composizioni del 1921 circa senza aver presente un canone ideale, ma procedendo per via empirica.

336. LOSANGA. Chicago, Art Institute

ol/tl 61,1×60,1 f d 1921

È il precedente di due dipinti del 1925 (n. 358 e 359), da cui differisce, oltre che per le dimensioni, per il fatto che vi appare un quadrato completo di colore nero a sinistra (Welsh, 1966).

337. COMPOSIZIONE. Baltimora, Rosen

ol/tl 80×50,7 f 1921-22

Presentata alla mostra di Toronto (1966, n. 93). Seuphor (1970, ill. n. 320) ne indica dimensioni diverse (79×24).

338. COMPOSIZIONE CON ROSSO, GIALLO E BLU. New York, propr. priv.

ol/tl 38×35 f d 1922

Nel 1922 le *Composizioni* sono costruite secondo lo schema delle tele del 1921, con qualche piccola differenza: i colori sono assolutamente puri, vi è un solo riquadro di ciascuno dei tre colori primari, il quadrato maggiore interno tende sempre più al quadrato perfetto, le linee nere tendono a giungere fino al margine della tela (Butor, 1961).

339. COMPOSIZIONE IN UN QUADRATO. New York, Sidney Janis Gallery

ol/tl 54×54 1922

Si veda al n. 338.

340. COMPOSIZIONE CON ROSSO, GIALLO E BLU. Minneapolis, Institute of Arts

ol/tl 41,9×48,9 f 1922

Donata al museo da Bruce B. Dayton. Si veda anche al n. 338.

341. COMPOSIZIONE CON ROSSO, GIALLO E BLU. Wassenaar, Ohd

ol/tl 40×50 f d 1922

Riprodotta da Seuphor (1970, ill. n. 325). Si veda anche al n. 338.

342. COMPOSIZIONE CON ROSSO, GIALLO E BLU. Amsterdam, Stedelijk Museum

ol/tl 42×50 f d 1922

Si veda al n. 338.

343. COMPOSIZIONE

ol/tl 1922

Riprodotta da Seuphor (1970, ill. n. 327) che la indica in proprietà Holtzman a New York.

344. COMPOSIZIONE

ol/tl 1922

Riprodotta da Seuphor (1970, ill. n. 328) che la indica di proprietario sconosciuto.

345. COMPOSIZIONE CON BLU, ROSSO E GIALLO ('Tableau' XI). Krefeld, Kaiser Wilhelm Museum

ol/tl 38,5×34 f 1922

346. COMPOSIZIONE CON ROSSO, GIALLO E BLU. ... (Olanda), D.D. v. P.

ol/tl 40×50 f d 1922

Non catalogata da Seuphor; presentata alla mostra di New York (1971, n. 92).

347. COMPOSIZIONE CON BIANCO, GRIGIO, GIALLO E BLU

ol/tl 55,3×53,5 f d 1922

Già in proprietà van Doesburg. Non catalogata da Seuphor; presentata alle mostre di Berlino (1968, n. 51) e Parigi (1969, n. 74).

348. COMPOSIZIONE 2. New York, Solomon R. Guggenheim Museum

ol/tl 55,5×53,5 f d 1922

Non catalogata da Seuphor; presentata alle mostre di Berlino (1968, n. 50), Parigi (1969, n. 73) e New York (1971, n. 93).

349. COMPOSIZIONE. Milano, Jucker

ol/tl 54×53,5 f d 1923

Non catalogata da Seuphor; presentata alle mostre di Basilea (1964-65, n. 44) e New York (1971, n. 96).

350. 'TABLEAU' I. Zurigo, Moser-Schindler

ol/tl 75×65 f d 1921-25

Secondo Butor (1961) le due tele (n. 350 e 351) datate da Mondrian 1921-25 sono opere del 1921 corrette nel 1925, verosimilmente con la soppressione dei colori non primari.

351. 'TABLEAU' II. Zurigo, Bill

ol/tl 75×65 f d 1921-25

Si veda al n. 350.

352. COMPOSIZIONE CON GIALLO, ROSSO E BLU ('Tableau' VII). Krefeld, Kaiser Wilhelm Museum

ol/tl 48×43 f d 1925

353. COMPOSIZIONE CON GIALLO, ROSSO E BLU ('Tableau' X). Krefeld, Kaiser Wilhelm Museum

ol/tl 49×42,5 f d 1925

354. COMPOSIZIONE. New York, Museum of Modern Art

ol/tl 39×31 1925

Lo schema è quello delle *Composizioni* del 1921-22, ma qui, come in quasi tutte le opere del 1925, lo spessore delle linee non è uniforme.

355. COMPOSIZIONE IN BIANCO, NERO, ROSSO E BLU

ol/tl 1925

Riprodotta da Seuphor (1970, ill. n. 329) che non ne indica le dimensioni, né il proprietario.

356. COMPOSIZIONE CON GRIGIO E NERO ('Tableau' N II). Berna, Kunstmuseum (Huggler)

ol/tl 50×50 f d 1925

Non catalogata da Seuphor; presentata alle mostre di Basilea (1964-65, n. 45), Berlino (1968, n. 52), Parigi (1969, n. 77) e New York (1971, n. 97).

357. COMPOSIZIONE I CON BLU E GIALLO. Zurigo, Kunsthaus

ol/tl diag. 112 f d 1925

Già presso la Sidney Janis Gallery di New York. Nel 1925 Mondrian riprende il tema della losanga, già svolto nelle tele del 1919 e in un dipinto del 1921, sicuramente in risposta alla "deviazione" compiuta da van Doesburg dai principi del neoplasticismo, con la reintroduzione nei suoi dipinti della linea diagonale (il cosiddetto 'elementarismo', di cui van Doesburg dà una formulazione teorica in "De Stijl", VII, 39). In queste composizioni a forma di losanga (Welsh, 1966) Mondrian riafferma la supremazia del rapporto orizzontale-verticale, liberando gli elementi rettilinei interni da una relazione troppo stretta con i lati del formato del dipinto.

358. LOSANGA CON ROSSO, GIALLO E BLU

ol/tl 1925 c.

Riprodotta da Seuphor (1970, ill. n. 401), che lo indica in proprietà Holtzman a New York e non ne fornisce le dimensioni. Secondo Welsh (1966) si tratta di una versione più piccola del dipinto in collezione Rothschild (n. 359).

359. LOSANGA CON ROSSO, GIALLO E BLU. New York, Rothschild

ol/tl diag. 143,5 f 1925

Secondo Welsh (1966), una data attorno al 1925 può essere accettata, sebbene la struttura dell'opera richiami il periodo intorno al 1921. Il dipinto appartenne alla danzatrice Palucca, moglie di F. Bienert di Dresda. Potrebbe trattarsi della persona citata nella didascalia relativa a un disegno di interno di stanza pubblicato da Mondrian sulla rivista "Vouloir" (n. 25, 1927), con l'indicazione: "Salon de Madame B. à Dresden" del 1927 circa. È probabile che il dipinto sia stato acquistato intorno a quella data e che provenisse dalla mostra tenuta nel 1925 a Dresda, presso Kühl und Kühn.

360. LOSANGA. Utrecht, Cabos

ol/tl diag. 109 1925

361. Scenario per "L'éphémère est éternel" - I

gz/crt 35×40 1926

Nel 1926 Michel Seuphor, secondo quanto egli stesso testimonia (1956), fece leggere a Mondrian un suo lavoro teatrale (anzi di teatro-antiteatro) "L'éphémère est éternel", per il quale Mondrian preparò in pochi giorni tre progetti di scenografia (corrispondenti ai tre

atti; riprodotti da Seuphor, 1970, ill. n. 437-439). Il lavoro fu rappresentato nel novembre del 1926 a Lione dalla Compagnie du Dunjon, ma mentre erano ancora in corso le repliche la compagnia fallì. Il bozzetto della scenografia ideata da Mondrian rimase per parecchi anni, sempre secondo Seuphor, nello studio di rue du Départ, e andò poi probabilmente perduto in uno dei traslochi del pittore. Lo spettacolo venne infine allestito nel 1968 a Milano, a cura di un gruppo sperimentale, il Parametro; i tre scenari furono realizzati a cura del pittore Carlo Nangeroni.

362. Scenario per "L'éphémère est éternel" - II

gz/crt 35×40 1926

Si veda al n. 361.

363. Scenario per "L'éphémère est éternel" - III

gz/crt 35×40 1926

Si veda al n. 361.

364. COMPOSIZIONE IN BIANCO E NERO. New York, Museum of Modern Art

ol/tl diag. 158 1926

Si veda al n. 358.

365. COMPOSIZIONE CON NERO E BLU. Filadelfia, Museum of Art (Gallatin)

ol/tl diag. 84,5 f d 1926

Si veda al n. 358.

366. COMPOSIZIONE CON ROSSO E NERO. Krefeld, Kaiser Wilhelm Museum

ol/tl 40×30 f d 1926

367. COMPOSIZIONE IN UN QUADRATO

ol/tl 51×51 1926

Riprodotta da Seuphor (1970, ill. n. 331), che la indica in proprietà Holtzman a New York. Prossima al n. 369.

368. COMPOSIZIONE

ol/tl 1926

Riprodotta da Seuphor (1970, ill. n. 362), che la indica in proprietà Holtzman a New York e non ne precisa le dimensioni. Prossima al n. 369.

369. COMPOSIZIONE CON ROSSO E NERO. New York, Streep

ol/tl 56×56 f d 1927

Le composizioni di Mondrian nel 1925-27 sono ancora legate allo schema dei dipinti del 1922. Tuttavia si può notare che il formato delle composizioni è in questo periodo sempre il quadrato e che il quadrato maggiore interno, prima circondato da tutti e quattro i lati dalle linee, è ora libero su uno o due lati.

370. COMPOSIZIONE CON ROSSO, GIALLO E BLU. Winnetka, Alsdorf

ol/tl 38,1×34,3 f d 1927

371. COMPOSIZIONE. Zurigo, Moser-Schindler

ol/tl 38×35 f d 1927

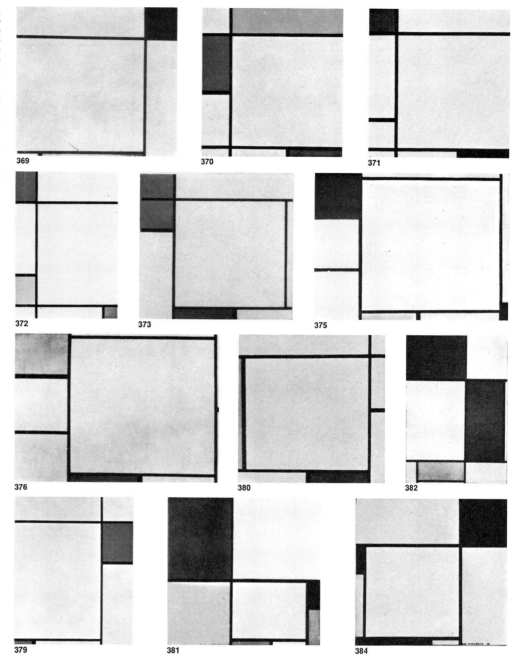

369 370 371
372 373 375
376 380 382
379 381 384

372. COMPOSIZIONE CON ROSSO, GIALLO E BLU. Amsterdam, Stedelijk Museum

ol/tl 61×40 f d 1927

373. COMPOSIZIONE CON ROSSO, GIALLO E BLU. Cleveland, Museum of Art

ol/tl 51×51 f d 1927

374. COMPOSIZIONE III CON ROSSO, GIALLO E BLU. Rotterdam, Elenbaas

ol/tl 38×37 f d 1927

Riprodotta da Seuphor (1970, ill. n. 334).

375. COMPOSIZIONE. ... (Stati Uniti), Ladas

ol 39×51 f d 1927

376. COMPOSIZIONE CON ROSSO, GIALLO E BLU. Arnhem, van Ellemeet

ol/tl 40×52 f d 1927

Secondo Welsh (1966) si tratta di uno dei tre dipinti che Mondrian riuscì a vendere attraverso un circolo di artisti di Rot-

terdam, che annoverava tra i suoi membri l'architetto J.J.P. Oud e Charley Toorop, pittrice, figlia di Jan. Costei acquistò uno dei tre quadri, un altro andò a van Lohuizen di Delft. L'opera richiama schemi del 1922 circa.

377. COMPOSIZIONE

ol(?) 1927(?)

Riprodotta da Seuphor (1970, ill. n. 330), che la indica in proprietà Holtzman a New York.

378. COMPOSIZIONE

ol(?) 1927(?)

Riprodotta da Seuphor (1970, ill. n. 363), che la indica in proprietà Holtzman a New York.

379. COMPOSIZIONE CON BLU E ROSSO. Pully (Losanna), Onstad

ol/tl 66×50 f d 1927

Non catalogata da Seuphor; presentata alle mostre di Basilea (1964-65, n. 47) e New York (1971, n. 101).

380. COMPOSIZIONE

ol/tl 37,8×34,9 f d 1927

Non catalogata da Seuphor; presentata alle mostre dell'Aia (1966, n. 105), Berlino (1968, n. 57) e Parigi (1969, n. 80).

381. COMPOSIZIONE CON ROSSO, GIALLO E BLU. Colonia, Hack

ol/tl 45×45 f d 1928

La composizione appare divisa da due linee perpendicolari, orizzontale e verticale, in modo da lasciare un grande quadrato, aperto su due lati, in alto a destra. Tale particolare è comune a numerose composizioni tra il 1928 e il '32, e il dipinto in esame segna l'inizio di una serie di variazioni sul tema; secondo Seuphor, sono le opere in cui il neoplasticismo raggiunge la sua perfezione.

382. GRANDE COMPOSIZIONE CON ROSSO, BLU E GIALLO. New York, John L. Senior jr.

ol/tl 122×79 f d 1928

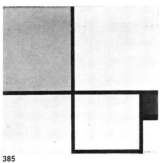

385

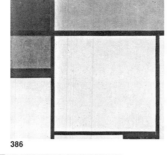

386

387 [Tav. LIII]

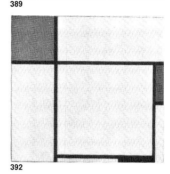

389

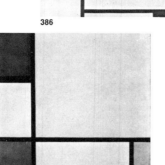

390

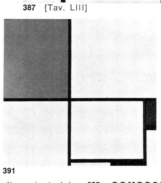

391

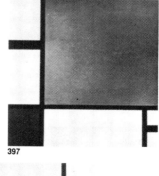

392

112

383. 'TABLEAU-POÈME'. Parigi, Seuphor

gz 65×50 f 1928

Scrive Seuphor (che lo riproduce: 1970, ill. n. 440): "Nel mese di maggio 1928, un pittore di Montparnasse di nome de Clergé organizzò una mostra di 'tableau-poèmes' in un caffè della Porte d'Orléans e mi chiese di partecipare. Avevo incontrato Clergé proprio prima di andare da Mondrian e naturalmente gli parlai di questo progetto. 'Vi partecipo volentieri' mi disse. 'Hai un testo?' Mi prese un po' alla sprovvista, ma pensai tutta la notte all'offerta di Mondrian e all'indomani gli mandai un testo per posta. Tre giorni più tardi andai in rue du Départ: il 'tableau-poème' era pronto!".

384. COMPOSIZIONE CON ROSSO, GIALLO E BLU. New York, Sidney Janis Gallery

ol f d 1928

Composizione basata ancora (Welsh, 1966) su un quadrato racchiuso, da considerarsi di transizione tra molte opere del 1927 e *Fox Trot B* del 1929 (n. 386).

385. COMPOSIZIONE CON GIALLO E BLU. Rotterdam, Museum Boymans-van Beuningen

ol/tl 52×52 f d 1929

In una lettera del 1929 all'amico van den Briel, Mondrian spiega il significato di alcune sue composizioni e traccia tre schemi, di cui quello indicato

come "figura 3" è ripreso nel dipinto in esame. Segue il commento dell'artista: "Figura 3: ef ed fg (cioè la verticale e la orizzontale perpendicolari tra loro) più in equilibrio l'uno rispetto all'altro, dunque meno tragico (il tragico, come la sofferenza, viene dalla dominazione di una cosa sull'altra)".

386. FOX-TROT B. New Haven, Yale University Art Gallery

ol/tl 44×44 f d 1929

Secondo Welsh (1966) potrebbe essere l'immediato precedente della *Composizione* del 1929 a Basilea (n. 387). Si veda anche al n. 393.

387. COMPOSIZIONE. Basilea, Kunstmuseum

ol/tl 52×52 f d 1929

Dono di Marguerite Hagenbach-Arp. Lo schema compositivo ricorre in molte opere del 1929-30. Un grande quadrato (o quasi quadrato) interno (Welsh, 1966) fiancheggiato da rettangoli minori la cui larghezza varia tra

¼ e ⅓ delle dimensioni del lato.

388. COMPOSIZIONE II CON ROSSO, BLU e GIALLO. Belgrado, Museo nazionale

ol/tl 45×45 f d 1929

Riprodotta da Seuphor (1970, ill. n. 341). Si veda anche ai n. 381 e 387.

389. COMPOSIZIONE IN UN QUADRATO. New Haven, Yale University Art Gallery

ol/tl 52×52 f d 1929

Si veda ai n. 381 e 387.

390. COMPOSIZIONE CON ROSSO, GIALLO E BLU. Amsterdam, Karsten

ol/tl 52×52 f d 1929

Si veda ai n. 381 e 387.

391. COMPOSIZIONE III. Basilea, Kunstmuseum (in deposito da Bally, Montreaux

ol/tl 50,5×50,5 1929

Si veda ai n. 381 e 387.

392. COMPOSIZIONE. New York, Solomon R. Guggenheim Museum

ol/tl 45×45 f d 1929

Donata al museo da Katherine S. Dreier. Non catalogata da Seuphor; presentata alla mostra di New York (1971, n. 105).

393. FOX-TROT A. New Haven, Yale University Art Gallery

ol/tl diag. 110 f d 1930

Seuphor, che indica una datazione al 1927, riferisce come l'artista fosse molto amante del ballo: a questa sua passione sarebbe dovuto il titolo di questo e di altri tre dipinti (*Fox-trot B*, n. 386 '*Broadway boogie-woogie*', n. 464, '*Victory boogie-woogie*', n. 472).

394. COMPOSIZIONE II CON GIALLO E BLU. Zurigo, Giedion-Welcker

ol/tl 50,5×50,5 f d 1930

Riprodotta in Seuphor (1970, ill. n. 347). Stilisticamente affine al n. 387 (si veda).

395. COMPOSIZIONE CON GIALLO. Düsseldorf, Kunstsammlung Nordrhein-Westfalen

ol/tl 46×46,5 f d 1930

Si veda al n. 387.

396. COMPOSIZIONE CON ROSSO, GIALLO E BLU. New York, Bartos

ol/tv 50×50 f d 1930

Tra il 1929 e il '31 Mondrian dipinge una serie di tele con un grande quadrato interno rosso. Si veda anche al n. 387.

397. COMPOSIZIONE CON ROSSO, GIALLO E BLU. Zurigo, Roth

ol/tl 50,8×50,8 f d 1930

Dietro la tavola si legge la dedica di Mondrian ad Alfred Roth di Zurigo. Anche in questa tela il colore rosso occupa il grande quadrato.

398. COMPOSIZIONE I. Zurigo, Friedrich-Zetzler

ol/tl 50×50 f d 1930

Riprodotta in Seuphor (1970, ill. n. 352). Stilisticamente affine al n. 387 (si veda).

399. COMPOSIZIONE I CON LINEE NERE. New York, John L. Senior jr.

ol/tl 50×51 f d 1930

Il colore è completamente scomparso: solo linee nere secondo il consueto rapporto orizzontale-verticale corrono sulla superficie bianca, incrociandosi. Il tema cruciforme, apparso per la prima volta nel 1930, diverrà dominante dopo il '32 con l'introduzione della doppia linea.

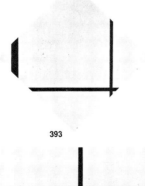

393

396

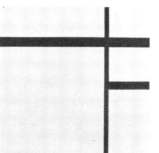

397

395

399

400

401

400. COMPOSIZIONE II CON LINEE NERE. Eindhoven, Stedelijk van Abbemuseum

ol/tl 41×32,5 f d 1930

Si veda al n. 399.

401. COMPOSIZIONE 1-A. New York, Solomon R. Guggenheim Museum

ol/tl diag. 95 f d 1930

Riprende il tema di *Fox-trot A* (n. 393), anticipando *Composizione con due linee* del 1931 (n. 405) e *Composizione con linee gialle* del 1933 (n. 410).

402. COMPOSIZIONE. New York, Sidney Janis Gallery

ol/tl 50×50 1931

403. COMPOSIZIONE CON ROSSO, NERO E BIANCO. New York, propr. priv.

ol/tl 81×54 f d 1931

Già nella collezione di Charmion van Wiegand. Deriva dalle due *Composizioni con linee nere* del 1930 (n. 399 e 400), ma qui Mondrian inserisce un piccolo rettangolo di colore.

404. COMPOSIZIONE CON GIALLO E BLU. Parigi, propr. priv.

ol/tl 49×49 f d 1931

405. COMPOSIZIONE CON DUE LINEE. Amsterdam, Stedelijk Museum (in deposito dal Comune di Hilversum)

ol/tl diag. 114 f d 1931

Commissionata a Mondrian dall'architetto Willem M. Dudok per il municipio di Hilversum, di cui questi aveva disegnato il progetto. Non fu mai esposto nel luogo cui era stato destinato.

406. COMPOSIZIONE A. Zurigo, Friedrich-Zetzler

ol/tl 55×55 f d 1932

Riprodotta in Seuphor (1970, ill. n. 354).

407. COMPOSIZIONE B CON GRIGIO E GIALLO. Basilea, Müller-Widmann

ol/tl 50×50 f d 1932

Vi appare per la prima volta la linea doppia.

408. COMPOSIZIONE D CON ROSSO, GIALLO E BLU. Zurigo, Bill

ol/tl 42×38,5 f d 1932

409. COMPOSIZIONE CON BLU E GIALLO. Filadelfia, Museum of Art (Gallatin)

ol/tl 41×33 f d 1932

410. COMPOSIZIONE CON LINEE GIALLE. L'Aia, Gemeentemuseum

ol/tl diag. 113 f d 1933

È l'unico dipinto di Mondrian in cui le linee non si intersecano sulla tela, ma tendono a determinare oltre i margini di essa un piano di cui la losanga non è che una frazione (Max Bill, "Jahresbericht der Zürcher Kunstgesellschaft" 1956; Jaffé, 1970). In *Fox-trot A* (n. 393) e *Composizione 1-A* (n. 401), che costituiscono i diretti precedenti di questa tela, le

quattro linee non hanno uguale spessore: Mondrian stesso afferma (1926) che "ogni simmetria deve essere bandita". Circa l'uso della losanga egli più tardi scrisse ("Museum of Modern Art Bulletin", 1946), ancora in polemica con van Doesburg, che l'introduzione della diagonale in un dipinto distrugge il sentimento di equilibrio che è necessario per il godimento di un'opera d'arte, ciò che non accade usando diagonalmente il quadrato.

411. COMPOSIZIONE CON GIALLO E BLU. Amsterdam, Merkelbach

ol/tl 41×33 f d 1933

412. COMPOSIZIONE CON GIALLO E BLU. Basilea, Müller-Widmann

ol/tl 41×33,5 f d 1933

413. COMPOSIZIONE CON BLU E ROSSO. New York, Sidney Janis Gallery

ol/tl 40×33 f d 1933

414. COMPOSIZIONE CON LINEE NERE

1933 c.

Riprodotta da Seuphor (1970, ill. n. 374).

415. COMPOSIZIONE CON RETTANGOLO DI COLORE

ol/tl 1933 c.

Riprodotta da Seuphor (1970, ill. n. 375), che la indica come appartenente all'Art Institute di Chicago (collezione Chapman).

416. COMPOSIZIONE B CON ROSSO. ..., Sutherland

ol/tl 91,5×71,5 f d 1935

417. COMPOSIZIONE CON ROSSO, BLU E GIALLO. Londra, Gray

ol/tl 55×55 1935

418. COMPOSIZIONE CON GIALLO. Basilea, Galerie Beyeler

ol/tl 58,3×55,2 f d 1935

Secondo Welsh (1966) è un pre-

113

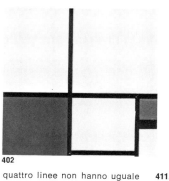

402

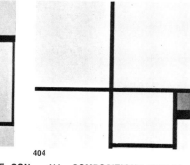

403 [Tav. LIV]

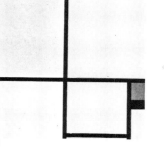

404

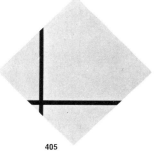

405

407

408

409

410 [Tav. LV]

411

412

413

416

418

419

420

417

422

424 [Tav. LVI]

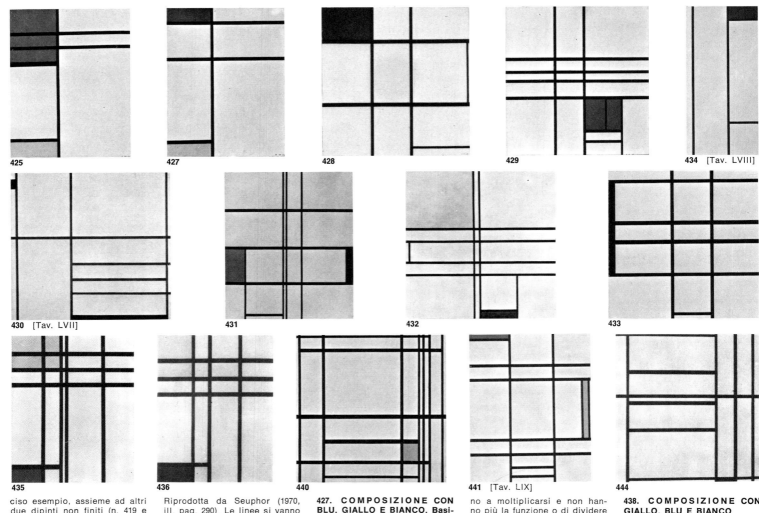

425 **427** **428** **429** **434** [Tav. LVIII]

430 [Tav. LVII] **431** **432** **433**

114

435 **436** **440** **441** [Tav. LIX] **444**

ciso esempio, assieme ad altri due dipinti non finiti (n. 419 e 420) che invece Seuphor riferisce al 1938, dell'uso che Mondrian fa della doppia linea nel 1935, tre anni dopo la sua introduzione. Secondo tale studioso inoltre le due linee orizzontali sono abbastanza vicine per essere viste come una variante della composizione cruciforme datata 1933 (n. 412). Come in quasi tutte le composizioni cruciformi (osserva Welsh) le linee orizzontali sono un po' più spesse delle linee verticali, tuttavia qui la differenza è lieve. Il telaio reca l'indirizzo di Parigi di Mondrian, 26 rue du Départ, e reca il titolo *Composizione A*, apposto in occasione di una mostra.

419. COMPOSIZIONE CON BLU. Vienna, Museum des 20. Jahrhunderts

ol/tl 50×60 1935(?)

Non finita. Secondo Welsh (1966), nella riproduzione fornita da Seuphor (1970, ill. n. 428) la base sarebbe in realtà il lato. Si veda anche al n. 418.

420. COMPOSIZIONE. New York, Sidney Janis Gallery

ol/tl 61×50 1935(?)

Non finita. Secondo Seuphor opera del 1938, secondo Welsh da attribuirsi invece al 1935. Si veda anche al n. 418.

421. COMPOSIZIONE CON BLU. Birmingham (Michigan), Winston

ol/tl 71×69 f d 1935

Riprodotta da Seuphor (1970, ill. pag. 290). Le linee si vanno a mano a mano infittendo sulla tela.

422. COMPOSIZIONE CON BLU E GIALLO. New York, Joseph H. Hirshhorn Foundation

ol/tl 73×69,8 f d 1935

Seuphor indica una data diversa: 1932-36.

423. COMPOSIZIONE

ol 1935

Riprodotta da Seuphor (1970, ill. n. 380), che non ne indica né dimensioni né collocazione.

424. COMPOSIZIONE IN GRIGIO-ROSSO. Chicago, Art Institute

ol/tl 55×57 f d 1935

Donata al museo dalla collezione Chapman. Non catalogata da Seuphor; presentata alla mostra di New York (1971, n. 115).

425. COMPOSIZIONE CON ROSSO

ol/tl 43,2×33 f d 1936

Esposta alla mostra di Parigi (1969, n. 93). Analoga alla composizione registrata da Seuphor in collezione Martin.

426. COMPOSIZIONE CON ROSSO. ..., Martin

ol/tl 63×40,5 1936

Riprodotta in Seuphor (1970, ill. n. 372). Si veda anche al n. 425.

427. COMPOSIZIONE CON BLU, GIALLO E BIANCO. Basilea, Kunstmuseum (in deposito dalla E. Hoffmann Stiftung)

ol/tl 43,5×33,5 f d 1936

428. COMPOSIZIONE CON ROSSO E NERO. New York, Sidney Janis Gallery

ol/tl 59×56,5 f d 1936

429. COMPOSIZIONE. Filadelfia, Museum of Art (Arensberg)

ol/tl 72×67 f d 1936

430. COMPOSIZIONE CON ROSSO E NERO. New York, Museum of Modern Art

ol/tl 102×104,1 f d 1936

La composizione è ancora, secondo Jaffé (1970), sullo schema dei dipinti del 1921-22, costruita sul grande quadrato in basso a destra: ma qui tre linee orizzontali lo suddividono in unità minori.

431. COMPOSIZIONE CON ROSSO E BLU. Stoccarda, Staatsgalerie

ol/tl 98,5 80,3 f d 1936

432. COMPOSIZIONE CON BLU E GIALLO. New York, propr. priv.

ol/tl 70,5×68,6 f d 1936

Prossima al n. 422.

433. COMPOSIZIONE CON ROSSO E NERO. Filadelfia, Museum of Art (Gallatin)

ol/tl 50,7×50,4 f d 1936

Secondo Welsh (1966), intorno al 1936 le linee nere comincia-

no a moltiplicarsi e non hanno più la funzione o di dividere o di contenere gli elementi, ma entrambe le funzioni simultaneamente.

434. COMPOSIZIONE CON BLU E BIANCO. Düsseldorf, Kunstsammlung Nordrhein-Westfalen

ol/tl 121,3×59 f d 1936

Secondo Welsh (1966), il dipinto, di formato verticale, sarebbe stato iniziato, con altri due analoghi (poi completati a New York nel 1942; si vedano i n. 447 e 448) nel 1935 e terminato nel 1936.

435. COMPOSIZIONE CON ROSSO E GIALLO. Filadelfia, Museum of Art (Gallatin)

ol/tl 43×33 f 1937

436. COMPOSIZIONE CON BLU E GIALLO. New York, Sidney Janis Gallery

ol/tl 55,8×45 f d 1937

Esposta alla mostra di Toronto (1966, n. 105); sembra identificabile con un dipinto riprodotto da Seuphor (1970, ill. n. 391), senza collocazione e con dimensioni diverse (44×33). Secondo Welsh i più immediati antecedenti sono le opere del 1936 e un trio di dipinti del 1935 circa (n. 418-420).

437. COMPOSIZIONE

ol 1937

Riprodotta da Seuphor (1970, ill. n. 392), che non ne indica le dimensioni né la collocazione.

438. COMPOSIZIONE CON GIALLO, BLU E BIANCO

ol/tl 75×55 1937

Riprodotta da Seuphor (1970, ill. n. 393), che non ne indica la collocazione.

439. COMPOSIZIONE CON ROSSO E BLU

ol 75×60,5 f d 1937

Riprodotta da Seuphor (1970, ill. n. 394), che la indica in proprietà di Ben Nicholson e Barbara Hepworth a New York. BLU. L'Aia, Gemeentemuseum

440. COMPOSIZIONE CON BLU. L'Aia, Gemeentemuseum

ol/tl 80×77 f d 1937

441. COMPOSIZIONE CON GIALLO E ROSSO. Los Angeles, County Museum of Art (Preston Harrison)

ol/tl 80×62 f d 1938

442. COMPOSIZIONE

1938

Riprodotta da Seuphor (1970, ill. n. 378) come appartenente a Holtzman a New York; mancano le indicazioni relative alla tecnica e alle dimensioni.

443. COMPOSIZIONE CON ROSSO

ol 1939 c.

Riprodotta da Seuphor (1970, ill. n. 398) come appartenente a Holtzman a New York; manca l'indicazione delle dimensioni.

444. COMPOSIZIONE CON ROSSO. Venezia, Guggenheim

ol/tl 102×104 f d 1939

445. COMPOSIZIONE ASTRAT-TA. Beverly Hills, Schreiber

ol/tl 44,8×38,1 f d 1939

Non catalogata da Seuphor; presentata alla mostra di New York (1971, n. 124).

446. COMPOSIZIONE CON ROSSO E BLU. New York, Bartos

ol/tl 43,2×32,4 f d 1939-41

447. COMPOSIZIONE CON ROSSO, GIALLO E BLU. Dallas, Clark

ol/tl 100×51,3 f d 1935-42

Presentata alla mostra di Toronto (1966, n. 107). Sembra corrispondere all'illustrazione n. 387 del catalogo di Seuphor (1970), dove però appare capovolta rispetto alla riproduzione del catalogo di Toronto. Iniziata, secondo Welsh (1966), nel 1935 (si veda al n. 434), fu terminata nel 1942 a New York, con l'aggiunta dei piccoli cubi di colore e, probabilmente, di alcune delle linee orizzontali, forse ispessite più tardi.

448. COMPOSIZIONE. Meriden, Tremaine

ol/tl 108×58 f d 1935-42

Come il n. 447, iniziata nel 1935 (si veda al n. 434) e compiuta dall'artista solo dopo il suo arrivo a New York.

449. RITMO DI LINEE NERE. Düsseldorf, Kunstsammlung Nordrhein-Westfalen

ol/tl 72,2×69,5 f d 1935-42

Le linee si sono infittite, incrociandosi, fino a formare una fitta grata. Seuphor interpreta il tema drammatico come un presentimento da parte dell'artista della tragedia della guerra. Anche Butor (1961) definisce "tragiche" queste tele di Mondrian in cui predomina, quasi ossessivamente, il tema della croce.

450. COMPOSIZIONE II CON BLU. Ottawa, National Gallery of Canada

ol/tl 62×60 f d 1936-42

Si veda al n. 449.

451. COMPOSIZIONE

ol/tl 1936-42

Riprodotta da Seuphor (1970, ill. n. 413); mancano i dati relativi a dimensioni e ubicazione.

452. COMPOSIZIONE N. 7

ol/tl 1937-42

Riprodotta da Seuphor (1970, ill. n. 414); manca l'indicazione delle misure. Welsh (1966) paragonandola alla *Composizione con blu e giallo* (1937) della Sidney Janis Gallery (n. 436) e all'analoga *Composizione con rosso e giallo* (1937) del museo di Filadelfia (n. 435), rileva come Mondrian, giunto a New York, modificasse una struttura "relativamente densa come quella di *Composizione con blu e giallo* aggiungendo piani di

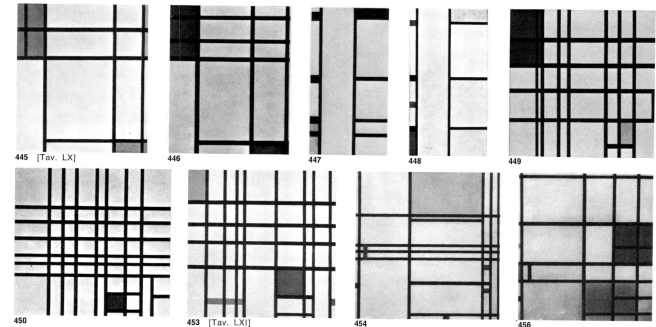

445 [Tav. LX]   446   447   448   449

450   453 [Tav. LXI]   454   456

colore non delimitati da linee e linee intermedie".

453. COMPOSIZIONE CON ROSSO, GIALLO E BLU. Londra, Tate Gallery

ol/tl 72×69 f d 1939-42

È un'altra delle tele cominciate in Europa e finite a New York. Secondo Seuphor la riga blu e la corta riga rossa sono del 1942.

454. COMPOSIZIONE IN NE-RO, BIANCO E ROSSO (Dipinto n. 9). Washington, Phillips Collection

ol/tl 79,4×73,6 f d 1939-42

455. COMPOSIZIONE CON ROSSO E BLU

ol/tl 80×72 f d 1939-42

Riprodotta da Seuphor (1970, ill. n. 416), che la indica in proprietà Holtzman a New York.

456. COMPOSIZIONE LON-DON. Buffalo, Albright-Knox Art Gallery

ol/tl 82,5×71 f d 1940-42

Non catalogata da Seuphor; presentata alla mostra di Toronto (1966, n. 108). Secondo Welsh la data apposta in basso a destra permette di riconoscere in questa tela il dipinto esposto alla prima rassegna di Mondrian in New York (1942, n. 11), occasione in cui la data stessa fu usata come titolo. Nel 1945, per la retrospettiva di Mondrian al Museum of Modern Art, James Johnson Sweeney diede al dipinto il titolo attuale perché Mondrian aveva affermato che il quadro era stato iniziato durante il bombardamento di Londra (Welsh, 1966).

457. NEW YORK. New York, Diamond

ol/tl 95,2×92 f d 1941-42

A New York un nuovo mutamento appare nelle opere di Mondrian: le linee nere vengono sostituite da linee rosse, gialle, blu. Questa tela è chiaramente di transizione: le linee nere e le colorate coesistono sulla tela bianca.

458. NEW YORK CITY I. New York, Sidney Janis Gallery

ol/tl 120×144 f d 1942

Le linee nere sono scomparse, sulla tela bianca corrono nastri di colore giallo, rosso e blu. Le linee gialle tagliano le rosse e le blu, ma in qualche punto sono queste ultime a sovrapporsi alle gialle. Secondo Seuphor (1956) questi effetti di incrocio e intreccio sono dovuti alla tecnica con cui Mondrian lavorava alla prima ideazione di queste tele, usando

strisce di carta colorata. Tale tecnica è rilevabile in particolare dalle versioni incompiute (n. 459-460) e da una tela in proprietà Holtzman a New York (foto 458[1]), che mostra soltanto il tracciato a carboncino e in cui è predisposto, ai bordi, l'attacco delle strisce colorate (Welsh, 1966).

459. NEW YORK CITY II. New York, Holtzman

collage/tl 1942

Non finito. Riprodotto da Seu-

460. NED YORK CITY III. New York, Holtzman

ol-*collage*/tl 113,5×97,5 1942 c.

461. COMPOSIZIONE CON ROSSO, GIALLO E BLU. Stoccolma, Moderna Museet

ol/tl 59×54 f d 1936-43

Un'altra delle tele iniziate in Europa e finite a New York.

phor (1970, ill. n. 435). Per le considerazioni critiche, si veda al n. 458.

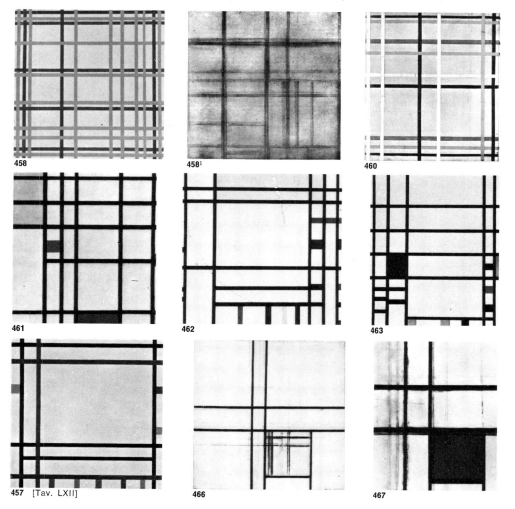

458   458[1]   460

461   462   463

457 [Tav. LXII]   466   467

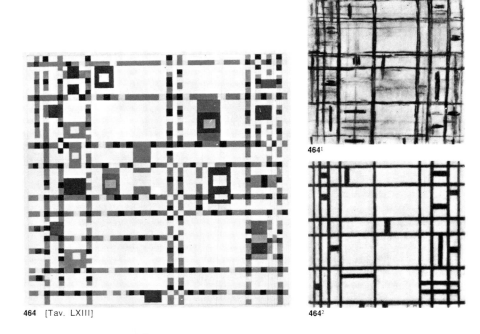

464 [Tav. LXIII]

464¹

464²

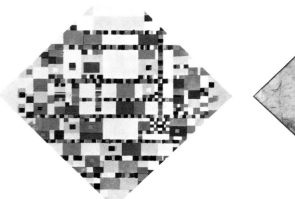

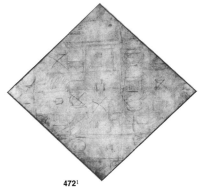

472¹

472 [Tav. LXIV]

462. PLACE DE LA CONCOR-DE. Dallas, Clark

ol/tl 94×95 f d 1938-43

Già in proprietà Holtzman a New York. Così intitolata da Mondrian; cominciata a Parigi e finita a New York nel 1943.

463. TRAFALGAR SQUARE. New York, Museum of Modern Art

ol/tl 145×119 f d 1939-43

Donato al museo da A.M. Burden.

464. 'BROADWAY BOOGIE-WOOGIE'. New York, Museum of Modern Art

ol/tl 127×127 f d 1942-43

Alle linee gialle di base sono sovrapposti piccoli blocchi di colore (rosso e blu) e non colore (bianco-grigio) in modo che esse appaiano frazionate in unità ritmiche minori: "tutto il *Broadway boogie-woogie* è giocato sulle quantità ritmiche. Tutto freme e vibra, si fraziona e lucidamente si ricompone" (Calvesi, 1957). La scelta del titolo è quindi strettamente correlata alla nuova ricerca di Mondrian (si veda anche al n. 393).

Due studi preparatori (cb, 22,5×22,5; foto 464¹ e 464²) si trovano in proprietà Newman a New York.

465. LOSANGA CON ANGOLO ROSSO. New York, Sweeney

ol/tl diag. 149,5 1943

Riferita dal Ragghianti (1962) al 1938, mentre Seuphor ritiene più plausibile la data 1943. (Si veda la foto a pag. 83.)

466. COMPOSIZIONE CON GIALLO. New York, Sidney Janis Gallery

ol-cb 56×54 1936-44

Non finita, come i n. 467-470, insieme con i quali si trovava nella collezione di Harry Holtzman a New York.

467. COMPOSIZIONE CON ROSSO. New York, Sidney Janis Gallery

ol-cb 80×63,5 1938-44

Si veda al n. 466.

468. COMPOSIZIONE CON ROSSO GIALLO E BLU

ol-cb 71×71 1939-44

Riprodotta da Seuphor (1970, ill. n. 432). Welsh ne sottolinea la connessione con la *Composizione London* del 1940-42 (n. 456). Si veda anche al n. 466.

469. COMPOSIZIONE

ol/tl 73×68,5 1939-44

Riprodotta da Seuphor (1970, ill. n. 433). Si veda al n. 466.

470. COMPOSIZIONE CON ROSSO GIALLO E BLU

ol-cb 73×70 1939-44

Riprodotta da Seuphor (1970, ill. n. 434). Si veda anche al n. 466.

471. COMPOSIZIONE

collage-gz-cb 28×24 1939-44

Riprodotta da Seuphor (1970, ill. n. 431) come appartenente a Holtzman a New York.

472. 'VICTORY BOOGIE-WOO-GIE'. Meriden, Tremaine

ol-*collage* diag. 177,5 1943-44

Concepito da Mondrian nell'attesa della vittoria alleata nella seconda guerra mondiale; rimasto incompiuto con la morte dell'artista. Porta avanti il tema del *'Broadway Boogie'* (n. 464): la superficie pittorica è tutta cromaticamente vibrante, la struttura lineare ormai frazionata.

Ne esiste uno studio preparatorio (mt, diag. 48,5; foto 472¹) nella Sidney Janis Gallery di New York.

116

Repertori

Indice dei titoli e dei temi

Indice topografico

Indice del volume

La chiave delle abbreviazioni
poste nell'intestazione di ciascuna 'scheda' è data alla pagina 82.

Fonti fotografiche

Illustrazioni a colori: Annely Juda Fine Art, Londra; Art Institute, Chicago; County Museum of Art, Los Angeles; Gemeentemuseum, L'Aia; Guggenheim Museum, New York; Hack, Colonia; Hinz, Basilea; Kröller-Müller Stichting, Otterlo; Kunsthaus, Zurigo; Kunstsammlung Nordrhein-Westfalen, Düsseldorf; Lambert, Montreal; Mates and Katz, New York; Museum of Modern Art, New York; Schreiber, Beverly Hills; Stedelijk Museum, Amsterdam; Tremaine, Meriden; Webb, Londra; Zeyle-maker, Zutfen. Illustrazioni in bianco e nero: Archivio Rizzoli, Milano; Art Institute, Chicago; Bak, L'Aia; Baker, New York; Boonstra, Groninga; Clements, New York; Engelskirchen, Krefeld-Hülserberg; Frison-Roche, Chamonix; Gemeentemuseum, L'Aia; Hahn, New York; Janis Gallery, New York; Jeck, Basilea; Kröller-Müller Stichting, Otterlo; Kunsthandel Monet, Amsterdam; Kunsthandel Nieuwenhuizen Segaar, L'Aia; Kunstmuseum, Basilea; Kunstmuseum, Berna; Kunstsammlung Nordrhein-Westfalen, Düsseldorf; Museum Boymans-van Beuningen, Rotterdam; Museum des 20. Jahrhunderts, Vienna; Museum of Art, Filadelfia; Museum of Modern Art, New York; Peters, Colonia; Phillips Collection, Washington; Pollitzer, New York; Salmi, Milano; Schiff, New York; Stedelijk Museum, Amsterdam; Van Abbemuseum, Eindhoven; Prof. Welsh, Cambridge; Yale University Art Gallery, New Haven.

Direttore responsabile: GIANFRANCO MALAFARINA

Registrazione presso il Tribunale di Milano, n. 84 del 28.2.1966.
Spedizione in abbonamento postale a tariffa ridotta editoriale:
autorizzazione n. 51804 del 30.7.1946 della Direzione PP.TT. di Milano

Editore stampatore: RIZZOLI EDITORE S.P.A.
MILANO, VIA CIVITAVECCHIA 102 - PRINTED IN ITALY